HEINRICH ZILLE
PHOTOGRAPHIEN BERLIN 1890–1910

Winfried Ranke

Schirmer/Mosel   München

CIP-Kurztitelaufnahme der Deutschen Bibliothek

Ranke, Winfried:
Heinrich Zille : Photogr. Berlin 1890–1910 /
Winfried Ranke. – Volksausg. – München :
Schirmer-Mosel, 1979.
   ISBN 3-921375-33-9

NE: Zille, Heinrich

© by Schirmer/Mosel München 1979
Alle Rechte, auch die des auszugsweisen Nach-
drucks und der photomechanischen Wieder-
gabe, vorbehalten.
Offsetlithos: R. Kölbl München
Druck und Einband: Passavia Passau
Printed in Germany
ISBN 3-921375-33-9 (Volksausgabe)

Inhalt

Heinrich Zille Photographien

»Es ist lobenswert, wenn man von einer Photographie als von einem Kunstwert reden kann, aber es ist nicht das Wichtigste.«

(Rexford Tugwell, Direktor der amerikanischen ›Farm Security Administration‹)

Will man sich einen Begriff von der Eigenart der hier abgebildeten Photographien machen, so nützt es nicht viel, gleich mit formalästhetischen oder phototechnischen Kriterien zu Werke zu gehen. Damit wäre ja – unbedacht und bedenkenlos – schon die Entscheidung getroffen, daß es nicht so sehr auf das ›Was‹ als vielmehr auf das ›Wie‹ der Darstellung zu achten gälte. Weil aber gerade eine Entscheidung darüber erst nach sorgfältiger Prüfung fallen sollte, führt es zunächst weiter, wenn man sich mit geduldiger Neugierde auf anschaulich Gegebenes konzentriert, auf die Sache, die der Photograph mit seiner Kamera nachträglicher Besichtigung verfügbar gemacht hat.

Die Sache, die hier anzuschauen und zu erkennen ist, ist längst nicht mehr aktuell, nicht unmittelbar an gegenwärtigen Zuständen und Gegebenheiten zu überprüfen, aber sofern sie uns als photographisches Abbild vergangener Wirklichkeit entgegentritt, beansprucht sie doch, für authentisch genommen zu werden. Lassen wir uns soweit ein, dann müssen wir auch einräumen, daß das auf den Photographien Sichtbare einer Vergangenheit angehört, die unserer Gegenwart vorausliegt, und – in Konsequenz – müssen wir dann fragen, ob und wie die im photographischen Abbild erscheinende, vergangene Wirklichkeit zu un-

serer gegenwärtigen sich verhält – oder, wie wir uns zu ihr verhalten wollen. Um hierauf eine vernünftige Antwort zu finden, lohnt es die Mühe, sich mit den Photographien von Heinrich Zille anschauend und denkend zu befassen.

Die Sache, oder nun exakter: der Gegenstand, von dem diese Photographien berichten, ist nicht gleichzusetzen mit den Dingen, die auf ihnen auszumachen und zu identifizieren sind; er ist vielmehr zu begreifen als der Zusammenhang, in dem diese Dinge erscheinen und aus dem heraus sie der Photograph im ausgrenzenden Geviert seines Sucherbildes fixiert hat. Da sich photographisch (lichtbildnerisch) immer nur das von Wirklichkeit aufzeichnen läßt, was eine optisch wahrnehmbare, im Licht sich abzeichnende Erscheinung hat, läßt sich ein solcher Zusammenhang immer nur an der Erscheinung von Dingen festmachen. Gegenstand von Photographien sind deshalb aber nicht einzelne Dinge, wie sie im Moment der Aufnahme dem Objektiv der Kamera entgegenstanden, sondern Gegenstand bleibt immer die Art und Weise des Entgegenstehens, der anschauliche Zusammenhang einer Wirklichkeit, in die auch Photograph und Kamera mit einzubegreifen sind, und der in der photographischen Ablichtung dingfest gemacht ist. Daher gilt es, eine Photographie als Ergebnis

7

einer Konfrontation mit Wirklichkeit aufzufassen und an ihr zu erkennen, in welcher Weise Wirklichkeit dem Objektiv der Kamera entgegenstand.

Halten wir uns nun an die dialektische Kehrseite des letzten Satzes, verliert das Problem sofort an Abstraktheit und wird einfacher zu handhaben. Photographische Konfrontationen mit Wirklichkeit kommen bekanntlich dadurch zustande, daß eine Kamera aufgestellt und deren Objektiv auf sie gerichtet wird. Das Aufeinandertreffen ist also beabsichtigt und von dem herbeigeführt, der hinter der Kamera steht. Insofern können wir den Gegenstand der Photographie auch begreifen als die Stellungnahme des Photographen zu seiner eigenen, ihn umgebenden und bedingenden Wirklichkeit. So gesehen ist eine Photographie nicht das außerhalb der abgebildeten Wirklichkeit an sich seiende Bild von dieser; das Beabsichtigte und technisch Hergestellte daran verbindet sie vielmehr objektiv mit den räumlichen, zeitlichen und gesellschaftlichen Bedingungen, unter denen das Abgebildete ins Bild geriet.

Einiges von der Wirklichkeit, die sich mit Hilfe konzentrierten Anschauens in Heinrich Zilles Photographien aufdecken läßt, ist in den Erläuterungstexten des Katalogteils beschrieben. Aus den Beschreibungen geht hervor, daß Zille sich offenbar gegenüber verschiedenen Gattungen der Photographie unterschiedlich und widersprüchlich verhielt: konventionell und befangen, wenn Familienaufnahmen oder private Erinnerungsphotos verlangt waren; technisch auf fortgeschrittenem Stand, gestalterisch unabhängig, sicher und konsequent, wenn es um eine Dokumentation arbeitender Frauen oder des Verfalls in Berliner Wohnquartieren ging. Mit diesen Feststellungen sind Indizien dafür gewonnen, daß der Photograph Zille zu verschiedenen Wirklichkeitsbereichen auf unterschiedliche Weise Stellung bezog. Eine Erklärung für die Widersprüchlichkeit der Stellungnahme läßt sich jedoch aus bloßer Anschauung nicht mehr beibringen. Die Gründe dafür sind nur im konkret geschichtlichen Lebenslauf und Daseinsbereich Zilles zu suchen, doch dazu müssen andere Quellen befragt werden.

Eine wissenschaftlichen Ansprüchen genügende Biographie Heinrich Zilles, aus der sich Auskunft zur hier aufgeworfenen Frage holen ließe, ist noch nicht geschrieben.[1] Zwar gibt es eine Reihe von ›Zille-Büchern‹, deren plump vertrauliche Titel – ›Vater Zille‹, ›Pinselheinrich‹, ›Heinrich heeßt er‹ etc. – ein schulterklopfend nahes Dabeigewesensein suggerieren,[2] doch sofern in ihnen zwischen Eingefühltem und Nachempfundenem überhaupt noch konkreter Bericht vorkommt, ist das Berichtete mit Vorsicht zu genießen. Zu oft scheint das Erinnerte und Aufgelesene nur beigebracht, um der verblassenden Aureole Zille'scher Volkstümlichkeit neuen Glanz zu verleihen.[3] Trotz derart unsicherer, vom Originalitätsdrang der Autoren verzerrter Überlieferung sind in verschiedenen Publikationen anekdotische Schilderungen und Selbstzeugnisse enthalten, aus denen sich das bestimmende Moment der Biographie Zilles ziemlich verläßlich rekonstruieren läßt. Mehr als eine erste Skizze dazu kann allerdings an dieser Stelle nicht vorgelegt werden.

Heinrich Zille war Sozialaufsteiger, sein Lebenslauf war geprägt von Problemen, die Veränderungen des gesellschaftlichen Status in hierarchisch organisierten Sozialzusammenhängen immer mit sich bringen. 1858 wird er in Radeburg in Sachsen als Sohn eines Handwerkers, der als Schmied, Schlosser und Uhrmacher arbeitete, geboren. 1929 stirbt er in Berlin-Charlottenburg als Titular-Professor und Mitglied der ›Preußischen Akademie der Künste‹. Zwischen diesen beiden Grenzpunkten seines Lebens liegen eine Reihe von Stationen, an denen Heinrich Zille Not und persönliche Entbehrung, harte Arbeit und zynische Entlassung, aber auch vielfachen freundschaftlichen Zuspruch, künstlerische Erfolge und die Lasten und Freuden von Popularität und Prominenz erfuhr.[4]

Nach Berlin kam der Neunjährige 1867, weil der aus Schuldhaft entlassene Vater sich und seine Familie dem weiteren Zugriff der Gläubiger entziehen wollte. Zunächst hausten sie in einem unmöblierten Keller nahe dem Schlesischen Bahnhof – »auf der Erde schliefen wir. Es war manchmal hartes Lager …«[5] Zilles Berichte vom Mitverdienenmüssen und den Erfahrungen, die der Schüler dabei machte, lassen keinen Zweifel daran, daß es der Familie Zille nicht anders ging als tausenden proletarisierter Zuwanderer, die hofften, in den expandierenden Industrien der Hauptstadt Arbeit zu finden.[6] Etwas besser stand sich die Familie erst, als der Vater eine feste Anstellung als Werkzeugmacher in einem großen Goldschmiedebetrieb gefunden hatte und 1872/73 in Rummelsburg ein Grundstück kaufen und darauf ein Eigenheim errichten konnte.[7]

1872 zu Ostern verläßt Heinrich Zille die Schule. Am 1. April des Jahres beginnt er eine Lehre als Lithograph. An dem Bericht vom Zustandekommen dieser Berufsentscheidung läßt sich erstmals eine Orientierung auf einen Sozialstatus, der oberhalb des bisher erfahrenen Daseinsbereiches rangiert, ablesen. Die Eltern wollten ihren einzigen Sohn zu einem Schlächter in die Lehre geben. Der Sohn aber sah sich den blutigen Anforderungen dieses Handwerks nicht gewachsen und suchte Rat und Hilfe bei einem schon während der Schulzeit privatim in Anspruch genommenen Zeichenlehrer. Der damals erteilte Ratschlag ist nicht in einheitlichem Wortlaut überliefert; in seiner ausführlichsten Fassung lautet er: »Heinrich, du kannst doch zeichnen. Also, das beste ist, du wirst Lithograph. Bei dieser Arbeit sitzt man in der warmen Stube, immer fein mit Kragen und Schlips, man schwitzt nicht und bekommt keine schmutzigen Finger. Nachmittags vier Uhr geht man nach Hause, die Lehre dauert drei Jahre und ... du wirst mit Sie angeredet. Was willst du mehr?«[8] Heinrich Zille soll später kommentierend dazu gesagt haben: »Mehr wollte ich auch nicht. Die Hoffnung, mit Sie angeredet zu werden, entschied über mein ›Schicksal‹«.[9]

Zilles Wunsch, sich in anderen, ›besseren‹ Verhältnissen einzurichten, wird durch andere Äußerungen bestätigt. So erklärt er seine dilettierende Beschäftigung mit der Zeichnung und anderen graphischen Techniken aus dem intensiven Bedürfnis nach einem individuellen Äquivalent zur entfremdeten Lohnarbeit: »Das ist nicht Begabung. Das ist nur Wollen. Ich wollte eben auch was für mich machen. Ich wollte nicht immer in der Werkstatt bloß an einer Sache ein bißchen rumarbeiten. Wie

etwa so'n Arbeiter, der bloß sein ganzes Leben lang Türklinken macht – vielleicht bloß die Gußnaht abkratzen – oder den Gußkopp abkneifen. Nee!«[10] In dem aus Anlaß seiner Ernennung zum Akademiemitglied vorgelegten Lebenslauf heißt es: »Meine erste eigene Wohnung war im Osten Berlins im Keller, nun sitze ich schon im Berliner Westen, vier Treppen hoch, bin also auch gestiegen.«[11] Natürlich kann in solchem Bericht des vollzogenen Aufstiegs nicht die ironische Doppelbödigkeit der Formulierung – vom Osten in den Westen, vom Keller in den vierten Stock – übersehen werden. Dennoch scheint uns sicher, daß sich hinter dieser Ironie auch die Befangenheit eines Mannes verbirgt, der sich seiner gesellschaftlichen Identität nicht mehr ganz sicher ist. Die im Zusammenhang unmittelbar folgenden Schlußsätze des Lebenslaufs liefern dazu mindestens weiteren Anhalt: »Einige Radierungen sind ins Kupferstichkabinett gelangt und eine Anzahl Zeichnungen und Skizzen in die Nationalgalerie. Jetzt, 1924, bin ich sogar Mitglied der Akademie geworden. Dazu schreibe ich das, was das völkische Blatt, der ›Fridericus‹ sagt: Der Berliner Abort- und Schwangerschaftszeichner Heinrich Zille ist zum Mitglied der Akademie der Künste gewählt und als solcher vom Minister bestätigt worden. – Verhülle, o Muse, dein Haupt.«[12]

Der soziale Aufstieg, der Zille nach 1900 zunehmendes Ansehen einbrachte, und der ihm ab 1907, nach seiner Entlassung bei der ›Photographischen Gesellschaft‹, eine Existenz als freischaffender Zeichner und Illustrator ermöglichte, führte allerdings nicht dazu, daß er sich nun mit der Eilfertigkeit des Parvenüs in den eroberten Verhältnissen niedergelassen hätte. Er blieb in der Einschätzung seiner eigenen künstlerischen Tätigkeit und Leistung vorsichtig und zurückhaltend. Zu seiner ersten Ausstellung mußte er mühsam überredet werden,[13] und noch 1921 kommentierte er einen großen Ankauf seiner Arbeiten durch die Nationalgalerie eher verdutzt mit den Worten: »Nun muß ich doch ein guter, brauchbarer Mensch, d. h. Künstler sein, aber ich bin nicht stolz.«[14] Kunsthändlern und Verlegern muß er mit kaum zu überbietender Harmlosigkeit entgegengetreten sein. Sein Freund Adolf Heilborn berichtet: »Bis fast zuletzt legte er die Rechnungsweise des Handwerks den Preisen seiner Blätter zugrunde. ›Was soll ich denn groß dafür nehmen?‹ sagte er mir oft, ›darüber hab' ich doch nur zwei, drei Stunden gesessen.‹«[15]

Aber auch nach der anderen Seite hin ließ sich die Fiktion des Gleichgestelltseins kaum aufrechterhalten. Tochter Margarete erinnert sich, daß Heinrich Zille von seinem Professorentitel nur sparsamen Gebrauch machte, »weil er fürchtete, dadurch eine Barriere zwischen sich und seinem ›Milljöh‹ aufzurichten«.[16] Wenn nicht Barrieren, so war doch oft schon eine gewisse Distanz zum ›Milljöh‹ gegeben, die sich z. B. darin andeutet, daß Zille Kneipen, Treffpunkte des Milieus, Zechkumpanen aus Theaterkreisen gegenüber als exotische Attraktionen anpreist: »Kinder, heut werdet Ihr einen Laden kennen lernen, Ihr werdet baff sein.«[17] Von Distanz – nicht von Distanzierung! – zeugt ebenso die Begründung: »Ich brauche das Geld für meine armen Leute«, mit der er eigenen Honorarforderungen Nachdruck verlieh.[18]

Fazit dieser knappen Analyse biographischer Daten: die Behauptung, daß sich durch Heinrich Zille das Proletariat zum ersten Male selbst darstelle,[19] ist wohl ebenso abstrakt wie die sentimentale Legende, die Resultate seiner scharfsichtigen Beobachtungen seien schlichter Menschlichkeit zu danken.[20] Näher an geschichtliche Tatsächlichkeit führt dann doch sicher die Annahme, daß es gerade die Unbestimmtheit seiner sozialen Zuordnung war, die ihm die in Zeichnung und Photographie festgehaltenen Einsichten ermöglichte. Als Sozialaufsteiger in erster Generation befand er sich gewissermaßen zwischen zwei benachbarten Daseinsbereichen – mal dem einen, mal dem anderen näher.[21] Dieses Dazwischensein gestattete ihm sowohl vertrauliche Annäherung an den Gegenstand seines Interesses, wie gleichzeitig auch die zur Beobachtung und exakten Registrierung erforderliche Distanz. Und wenn er sich – hier wie dort – immer ein wenig als Außenseiter wahrnahm, so steigerten sich dadurch nur seine Aufmerksamkeit und sein Mißtrauen gegen jede Form anbiedernder Vereinnahmung.

Heinrich Zille hat mit vierzehn Jahren die Schule verlassen und eine Lehre als Lithograph begonnen. Während der Lehrzeit besuchte er außerdem aus eigenem Interesse Zeichenkurse in den Abendklassen der Königlichen Kunstschule. Im Laufe der frühen Gesellenjahre machte er sich mit verschiedenen nicht lithographischen Reproduktionstechniken vertraut und eignete sich so eine in seinem Handwerk wohl kaum allgemein übliche Vielseitigkeit an.[22]

Mit diesen wenigen Angaben ist schon alles aufgezählt, was wir derzeit über Zilles intellektuelle und technisch-künstlerische Ausbildung wissen. Es besagt in seiner Dürftigkeit nicht mehr, als daß die uns geläufige Eigenart Zille'scher Menschen- und Stadtdarstellungen erst nach langwierigen Mühen des Selbststudiums ausgebildet wurde. Soweit sich aus dem bislang publizierten Material Aufschluß

über diese autodidaktischen Anstrengungen gewinnen läßt, scheint Zille sich zunächst vornehmlich mit Landschaftsstudien befaßt zu haben.[23] Damit hielt er sich an ein Studienobjekt, das seiner Rolle als dilettierender Kunstjünger genau entsprach. Regelmäßige Versuche, Großstadterfahrung und Straßenbeobachtungen zeichnerisch zu bewältigen, lassen sich erst mit Beginn der neunziger Jahre feststellen. Und von da an bedarf es dann noch etwa zehnjähriger Übung und Auseinandersetzung mit diesem Gegenstandsbereich, bis der kurvige, schnell und sicher umreißende Zille-Strich voll ausgebildet ist.

Daß um 1890 in Berlin ein kunstbeflissener Lithograph damit beginnt, statt märkischer Kiefern Beobachtungen aus seinem großstädtischen Erfahrungsbereich aufzuzeichnen, ist nicht selbstverständlich. Im Gegenteil, es ist ohne einen von außen gekommenen Anstoß kaum für möglich zu halten. Es ist allerdings auch nicht schwierig, die Richtung auszumachen, aus der ein solcher Anstoß damals zu erwarten war. Topographisch gesprochen muß er aus Südosten, aus der Gegend um den Müggelsee gekommen sein. Dort, in Erkner, wohnte seit 1885 Gerhart Hauptmann, im benachbarten Friedrichshagen fanden sich seit 1888 junge Literaten im ›Friedrichshagener Kreis‹ zusammen und diskutierten Theorien und Programme des Naturalismus.

Faßt man den Naturalismus im Deutschland des ausgehenden 19. Jahrhunderts im engeren Sinne als literarhistorische Erscheinung auf, so läßt sich deren öffentliche Bedeutung für Berlin auf die Jahre zwischen 1880 und 1892 eingrenzen.[24] Die Chronik der wichtigsten Ereignisse setzt ein mit der 1886 erfolgten Gründung des Intellektuellen-Zirkels ›Durch‹, dessen Name den Durchsetzungswillen der für eine Erneuerung der Kunst eintretenden Mitglieder plakatiert.[25] 1888 bildet sich um die Literaten Bruno Wille und Wilhelm Bölsche der ›Friedrichshagener Kreis‹.[26] Um neuer Dramenliteratur und den ihr angemessenen Aufführungsformen ein vor dem Zugriff der preußischen Zensurbehörden geschütztes Forum zu verschaffen, wird am 10. Februar 1889 der geschlossene Theaterverein ›Freie Bühne‹ gegründet. Unter den Gründungsmitgliedern ist der Verleger und spätere Schatzmeister des Vereins, Samuel Fischer.[27] Am 20. Oktober des gleichen Jahres wird Hauptmanns soziales Drama ›Vor Sonnenaufgang‹ von der ›Freien Bühne‹ uraufgeführt. Die Premiere löst einen Skandal aus, wie er – nach Richard Dehmel – »in den Annalen selbst der radaulustigsten Berliner Vorstadtschmieren nicht ihresgleichen finden dürfte«.[28] Noch vor Aufhebung der Sozialistengesetze kommt es zu Initiativen, auch der Arbeiterschaft Zugang zur Bildungsinstitution Theater zu verschaffen. Am 23. März 1890 veröffentlicht Bruno Wille im ›Berliner Volksblatt‹ (dem späteren ›Vorwärts‹) einen Aufruf zur Gründung einer ›Freien Volks-Bühne‹. Die Gründungsversammlung findet am 29. Juli 1890 statt.[29]

Das Ende der öffentlich wirksamen, das Berliner Publikum unmittelbar betreffenden und erregenden Phase der naturalistischen Literaturrebellion wird durch den Streit um die künftige Leitung und Spielplangestaltung der ›Freien Volks-Bühne‹ markiert. Der Gründungsvorsitzende Bruno Wille verstand sich als Volkspädagoge und beanspruchte in einem neu zu bildenden Vorstand größere Entscheidungsbefugnisse. Er sträubte sich vor allem gegen eine von anderer Seite geforderte Verstärkung der Mitsprachemöglichkeiten der Sozialdemokratie. Da die Gegenseite Forderungen, die das demokratische Organisationsprinzip antasteten, nicht akzeptieren wollte, kam es im Herbst 1892 zur Spaltung. Der Verein ›Freie Volks-Bühne‹ bestand unter dem Vorsitz von Franz Mehring in unveränderter Form fort. In dem Festhalten an uneingeschränkt demokratischen Mitgliedsrechten wie auch in der Übernahme des Vorsitzes durch den sozialistischen Publizisten Mehring zeigt sich, daß die von keinem Sozialistengesetz mehr behinderte Arbeiterbewegung nicht bereit war, bürgerliche Literaten als zuständige kulturpolitische Sprecher und Volksbildner anzuerkennen.[30] Im genauen Gegensatz dazu versuchte Bruno Wille mit einer Gruppe von Dissidenten seinen volkspädagogischen Führungsanspruch in einer ›Neuen Freien Volksbühne‹ zu verwirklichen. Die Organisationsstruktur dieses Vereins sollte garantieren, »daß nicht abermals eine falsche Demokratie und Sachverständigkeit miteinander verwechselt werden und die Mitglieder, die noch als Zöglinge im volkspädagogischen Sinne gelten, zu indirekten Leitern des Unternehmens werden«.[31]

In der skizzierten Auseinandersetzung zeichnen sich alternative Möglichkeiten von gesellschaftskritischem Engagement ab: solidarisches Handeln aufgrund demokratisch, also kollektiv vorbereiteter Entscheidungen, oder appellative Erschütterung und volkspädagogische Belehrung durch Einzelne.[32]

In dieser Alternative gründet auch die Problematik der künstlerischen Absichten und Leistungen des Naturalismus und aller auf ihn folgenden realistischen Kunstweisen. Auch für die Einschätzung von Werdegang und Werk

Heinrich Zilles ist sie von grundlegender Bedeutung.

Ob Zilles Hinwendung zu der vom Naturalismus aufgegriffenen Großstadtthematik durch persönliche Begegnungen und Gespräche angeregt wurde, wissen wir nicht. Es ist uns aber wenig wahrscheinlich, daß der allein mit preußischer Volksschulbildung ausgestattete Handwerker sich in die hektischen Debatten bürgerlicher Literaten und Bohemiens eingemischt hätte. Allerdings wird auch die Vermutung, daß er sich als Mitglied der Volksbühne auf Seiten der Arbeiterbewegung an Auseinandersetzungen über die soziale Verpflichtung der Kunst[33] beteiligt haben könnte, durch keinen historischen Beleg erhärtet. Vermutlich hat er sich – als vermeintlicher Außenseiter – in beobachtender Distanz gehalten und insofern auf keiner Seite Spuren hinterlassen, die der Historiker heute noch erkennen könnte. Aber selbst wenn wir Unsicherheit und Zurückhaltung eines Sozialaufsteigers in Rechnung stellen, dann ist nicht einzusehen, daß Zille von der ganzen Aufregung, die die zum Schrecken der Bürger veranstalteten Inszenierungen und Debatten der Naturalisten hervorriefen, nichts wahrgenommen haben sollte. Dies umso weniger, wenn wir – Hamann/Hermand folgend – die naturalistische Bewegung nicht mehr allein als literarhistorische Erscheinung begreifen, sondern sie als allgemeine Reaktion auf die prunkvolle Borniertheit der Gründerjahre verstehen, als einen »Realismus in Angriffsstellung«, dessen Verfechter sich keineswegs nur aus dem Lager der Dichter und Schriftsteller rekrutierten.[34] Vielmehr müssen wir dann davon ausgehen, daß über Fragen der Zeitgemäßheit und Wirklichkeitstreue der Kunst auch unter Malern und Graphikern diskutiert wurde, in Kreisen also, zu denen Zille beruflich wie privat Kontakt hatte und suchte.

Für den immerhin schon dreißigjährigen Zille muß es eine richtungweisende Erfahrung gewesen sein, zu erleben, wie seine Eindrücke und Erinnerungen aus Kindheit und Lehrzeit – die zu verdrängen er vielleicht schon im Begriffe stand? – ganz unvermutet in den Rang der Kunstwürdigkeit erhoben wurden. Auch wenn er schon mit der neuen Landschafts- und Genreauffassung Liebermanns bekannt geworden war, muß ihm diese Aufwertung der Großstadtthematik und des proletarischen Arme-Leute-Genres unvermutet begegnet sein.[35] Vermittelt wurde sie ihm wahrscheinlich zuerst durch Theater und Literatur. Auf Berliner Kunstausstellungen war man vor derartigen Beunruhigungen vorerst noch sicher. Über die 1891 in Berlin veranstaltete internationale Kunstausstellung berichtet Franz Mehring: »Unter den vier- bis fünftausend Nummern derselben mag auf je tausend nicht viel mehr als eine kommen, die dem klassenbewußten Arbeiter jene Luft entgegenweht, in welcher er denkt und fühlt, lebt und leidet, kämpft und strebt.«[36]

Daß Heinrich Zille mit naturalistischen Kunstauffassungen bekannt geworden ist und durch sie in seiner künstlerischen Arbeit beeinflußt wurde, läßt sich aus Überlieferung und nachgelassenen Arbeiten erschließen. So wissen wir, daß er sehr viel las und unter anderem auch den ›Germinal‹ und andere für die Naturalismusrezeption in Deutschland wichtige Romane Zola's kannte.[37] Die diesem und seinen Nacheiferern vorgehaltene Konzentration auf Elend, Armut und Häßlichkeit zeigt sich in gewissem Maße auch bei der Durchsicht von Zilles graphischen Blättern. Dabei fällt gleich noch eine weitere charakteristische Gemeinsamkeit mit der Prosaliteratur des deutschen Naturalismus ins Auge: der ganze Bereich der industriellen Produktion und der darin tätigen Industriearbeiter kommt praktisch nicht zur Darstellung.[38] Ein Mangel, der von Seiten der Arbeiterbewegung wiederholt scharf gerügt wurde: »Die geilen Halluzinationen, in denen die ›reine Volkspädagogik‹ der ›naturalistischen Dichter‹ den Arbeiter stets nur im Bordell und in der Schnapskneipe sieht, werden deshalb noch nicht zur Wahrheit werden.«[39]

Die unleugbare Einseitigkeit nahezu aller Darstellungen des Proletariats aus dieser Zeit ergibt sich zu einem Teil aus der Tatsache, daß der privatwirtschaftlich organisierte Produktionsbereich immer schon aus Öffentlichkeit ausgegrenzt war:[40] »Unbefugten Zutritt verboten«! Zum anderen Teil resultiert diese Fixierung aber aus einem mechanistisch kurzschließenden Gesellschaftsverständnis, das die Ursachen sozialer Verelendung eher in den Wohn- als in den Produktionsverhältnissen suchte. Auch bei Zille finden sich Anzeichen einer ähnlichen Auffassung der sozial determinierenden Umwelteinflüsse. Hans Ostwald beschreibt es in dem mit Heinrich Zille zusammen verfaßten Zillebuch: »Det is Zille sein Milljöh! Der fünfte Stand.‹ Menschen, die ihrem Geschick nicht entgehen können, die das Resultat der heutigen und früheren Gesellschaftsordnung sind. Bedauernswerte, in der ›Charité‹ oder im ›Fröbel‹ geboren, finden sie ihren Lebensweg schon in harten Lettern vorgeschrieben. Zusammengepfercht in hohe Mietskasernen, mit schmalen ungelüfteten Treppen. Elende Zufluchtsorte in nassen Kellern und über stinkenden Ställen, ohne Luft und Sonne.«[41]

›Mein Milljöh‹ – Zilles populärster Buchtitel[42] – ist ein Begriff, der am deutlichsten auf eine Auseinandersetzung mit einer für den Naturalismus grundlegenden Theorie verweist: Die Milieu-Theorie von Hippolyte Taine.[43] Sie ist für Zilles Arbeiten zunächst in ihrem soziologischen Ansatz wichtig, weil dieser es ermöglichte, Menschen als Produkte ihrer Lebensumstände anzusehen. Diese Möglichkeit konnte sich Zille zunutze machen, als er sich entschloß, das Milieu seiner Kindheits- und Jugenderfahrungen als ›sein Milljöh‹ anzusehen, da er als Kenner der Lebensumstände die Kompetenz sachverständiger Berichterstattung für sich beanspruchen konnte.[44] Aber auch kunsttheoretische Aspekte der Theorie kamen dem Außenseiter Zille zugute. Insofern als sie im Kunstwerk das Produkt aus Rasse, Milieu und Moment erkannte, wirkte sie entheroisierend.[45] Sie räumte auf mit dem in den Gründerjahren so verbreiteten Kult des künstlerischen Ausnahmemenschen, dessen stereotypes Ritual Arno Holz treffend charakterisiert: »Man kennt ja die Geschichte: wo das Genie auftritt, hat das Naturgesetz plötzlich ein Loch – bumm!«[46] Auf Zille mußte die neue Einsicht, daß Kunst nichts mit Auserwähltsein und höherer Eingebung zu tun habe, sondern mit milieubedingter Erfahrung und Arbeit, ermutigend wirken. Er hat sich später jedenfalls darauf berufen: »Das habe ich alles nur mit Gewalt erzielt. Nur mit Fleiß! Und immer wieder Gewalt! Sonst schafft man das nicht! Das ist nicht Begabung. Das ist nur Wollen.«[47]

»Genie, Talent, das hat uns bereits die moderne Naturwissenschaft gelehrt, ist nichts Überirdisches, Geheimnisvolles, Unerklärliches, vom Himmel auf die Erde Niedergeflogenes, wie die frühere Zeit annahm. Talent, Genie ist nichts anderes als die normale, gesunde, entwicklungsfähige Ausbildung der Gehirnzentren, ...«[48] Wer sich auf diese 1889 von Conrad Alberti vorgetragene Anschauung einläßt, der kann sich auch weiteren Konsequenzen dieses auf Wissenschaftlichkeit gegründeten Kunstbegriffs nicht entziehen. Er wird sich gemäß der Zola'schen Theorie vom ›Roman experimental‹ als wissenschaftlicher Beobachter und Experimentator verstehen müssen[49] und versuchen, »die Umgebung des Menschen zu studieren, wie der Zoologe die Pflanze studiert, auf der ein Insekt lebt«, um »Gesetze und Kausalzusammenhänge, welche das Menschenleben beherrschen, wahrheitsgetreu darzustellen, um die richtige Einrichtung desselben durch Benutzung dieser Gesetze zu ermöglichen«.[50]

Zwischendurch mag es gut sein darauf hinzuweisen, daß wir hier einen Indizienbeweis führen. Wir wissen nicht, was und wieviel Zille von diesen theoretischen Überlegungen der Berliner Naturalisten in Rede oder Schrift bekannt geworden ist, wir versuchen nur, eine historisch einleuchtende Begründung für das zu finden, was Zille selbst getan hat. Da gibt es nun allerdings einiges, was sich nur dann erklären läßt, wenn man es in Beziehung setzt zu dem, was in dem anderen Milieu der Berliner Kunstszene, dem Zille zumindest beobachtend nahestand,[51] Gegenstand der Debatten war.

Die überkommenen Skizzen Zilles und auch Aussagen seiner Freunde bezeugen einen Arbeitsstil, der genau dem entspricht, was in naturalistischer Theorie gefordert wurde. Seine bildmäßig ausgearbeiteten Graphiken sind niemals aus spontaner Eingebung entstanden. Ihnen liegen immer schon zahllose Skizzen und Studien voraus, in denen Zille seine Milieubeobachtungen festgehalten hatte.[52] ›Notieren‹ nannte er selbst diese mühsam angeeignete Fähigkeit des ambulanten Aufzeichnens von Wahrnehmungseindrücken, und er hatte bei sich zu Hause einen nach Tausenden zählenden Fundus solcher Notizen, auf den er jederzeit zurückgreifen konnte, wenn es um die Stimmigkeit des Details im bildmäßig arrangierten Zusammenhang ging.[53] Die Lithographie von Willibald Krain (Textabb. 1) belegt diesen bis zuletzt gepflegten Arbeitsstil Zilles auf eindrucksvolle Weise: die Staffelei, vor der er sitzt, ist gespickt mit Skizzen und Notizen,

17

die ihm zur Anregung und Kontrolle für die Richtigkeit der in Angriff genommenen Zeichnung dienen.

An dieser Stelle ist festzuhalten, daß diese Form des ständigen und serienmäßigen Notierens von Wahrnehmungseindrücken keineswegs übliche künstlerische Praxis war. Im Gegenteil, weder die theoretisierenden Literaten, noch die bildenden Künstler machten sich im Fortgang der neunziger Jahre große Mühe mit der Einlösung ihrer eigenen Forderungen. Je mehr sich das bürgerliche Publikum an impressionistischer Geschmackskultur oder auch neuen Stilisierungsversuchen ergötzte, je mehr richteten sich auch die Künstler wieder auf spekulative und imaginative Arbeitsweisen ein.[54] Der kunstbeflissene Lithograph Heinrich Zille machte jedoch den Wechsel der Kunstmoden nicht mit. Für ihn enthielt der von den Naturalisten propagierte Kunstbegriff mehr als nur die Rechtfertigung einer vorübergehend eingenommenen Protesthaltung. Ihm hatte er die Möglichkeit eröffnet, eigene Vergangenheit und Erfahrung zum Gegenstand künstlerischer Arbeit zu machen. Für den Sozialaufsteiger Zille ergab sich somit aus der kurzen Aufregung naturalistischer Antihaltung ein wesentlicher Anstoß. Er hielt seitdem an der Darstellungswürdigkeit seines ›Milljöhs‹ fest und widmete sich zeitlebens

seiner minutiösen Erforschung. Im Bezug zur kunstgeschichtlichen Entwicklung blieb er so weiterhin ein Außenseiter, aber einer, der den in naturalistischer Theorie enthaltenen Ansatz zur Erforschung gesellschaftlicher Realität gründlicher und weiter verfolgt hat als die meisten seiner Künstlerkollegen.[55]

In diese Skizze von biographischer Motivation und Entstehung der Wirklichkeitsauffassung Heinrich Zilles muß nun das eingetragen werden, was sich über den Photographen Zille berichten läßt. An dokumentarisch Gesichertem gibt es nur wenig anzuführen. Das meiste muß auch hier wieder aus dem überkommenen Material erschlossen werden.[56]

Die Tatsache, daß Zille selbst photographische Aufnahmen gemacht hat, wird bis 1967 in der Zille-Literatur überhaupt nicht erwähnt.[57] Wir erfahren nur, daß er beruflich mit dem neuen Medium in Berührung kam. Über seine 1877 aufgenommene Tätigkeit bei der ›Photographischen Gesellschaft‹ in Berlin berichtet Zille selbst, daß er dort »jahrzehntelang« in der Photowerkstatt arbeitete.[58] Wir können daher annehmen, daß er mit der photographischen Labor- und Reproduktionstechnik bestens vertraut war und eventuell auch Gelegenheit hatte, die an der Arbeitsstätte vorhandenen technischen Einrichtungen für eigene Zwecke zu nutzen.[59] Die Vermutung, daß er von sol-

1   Heinrich Zille in seinem Arbeitszimmer, Lithographie von Willibald Krain

cher Gelegenheit Gebrauch gemacht habe, stützt sich auf die Tatsache, daß unter den vorhandenen Negativen vier verschiedene Plat-tenformate vorkommen,[60] er also mit vier ver-schiedenen Kameras gearbeitet haben muß. Wenn er eine so vielteilige und kostspielige

Ausrüstung besessen hätte, wäre schwer einzusehen, warum er und seine Erben einen derartigen photographischen Aufwand niemals der Rede wert gehalten haben. Viel einleuchtender ist dann doch die Annahme, daß er sich die selten gebrauchten großformatigen Kameras (13 × 18 cm und 18 × 24 cm) von Fall zu Fall bei seinem Arbeitgeber ausgeliehen hat.

Setzt man die Plattenformate, photographierte Sujets und mutmaßlichen Zeitpunkt der Aufnahmen zueinander in Beziehung, so ergibt sich folgendes Bild:

Die insgesamt 6 vorhandenen Aufnahmen auf großformatigen Platten[61] lassen alle das Bestreben nach anspruchsvoll bildmäßiger Photographie erkennen. Eine sichere Datierung läßt sich für keine dieser Aufnahmen angeben; alle scheinen jedoch vor 1907, dem Zeitpunkt von Zilles Entlassung bei der ›Photographischen Gesellschaft‹, entstanden zu sein.

Die insgesamt 46 Platten im Format 13 × 18 cm verteilen sich schwerpunktmäßig auf Porträt- und Gruppenaufnahmen von Familienangehörigen und Künstlerkollegen sowie auf Aufnahmen von Skulptur im Atelier Gaul. Die wahrscheinliche Entstehungszeit aller dieser Aufnahmen liegt zwischen 1900 und 1907.

Von den Platten im Format 12 × 16 cm sind insgesamt 28 vorhanden. Sie zeigen in der

42, 54, 120

2a Frau mit Korb, Photo von H. Zille

Hauptsache Motive aus dem Familienkreise sowie einige Landschaften und Aufnahmen vom Krögel. Unter den Familienphotos ist die Aufnahme der etwa dreijährigen Tochter Margarete von 1887/88 die früheste mit Sicherheit datierbare Zille-Photographie. Überdies ist wahrscheinlich, daß alle übrigen Negative

1, 4
48,
53,
4

2b Treppenhaus, Photo von H. Zille

nung Zilles zeigt (Textabb. 2a–c), wurden die ersten Platten dieses Formats schon um 1890 belichtet; die letzten – nach dem Format alter 61–63 Kontaktabzüge zu schließen – vermutlich zwischen 1910 und 1914.[62] 107, 110

Faßt man die Ergebnisse der Gegenüberstellung zusammen, so resultiert, daß es sich bei den großformatigen Photographien in der Regel um Aufnahmen von einem gewissen lichtbildnerisch konventionellen Anspruch handelt, deren Herstellung längerfristig voraussehbar und planbar war. Unter den kleinformatigen Photos (12 × 16 cm und vor allem 9 × 12 cm) finden sich hingegen viele Aufnahmen, die offensichtlich bei unvermutet sich bietender Gelegenheit entstanden sind. Zur Datierung ergibt sich folgendes: Zille hat in der zweiten Hälfte der achtziger Jahre mit dem Photographieren begonnen. Er bedient sich dabei einer Kamera mit einem Plattenformat von 12 × 16 cm. Schon um 1890 muß er sich eine handlichere Kamera für Platten im Format 9 × 12 cm angeschafft haben. Es handelte sich – wie Zilles Schatten auf Textabb. 5 deutlich erkennen läßt – um eine Handkamera, die vermutlich mit einem Plattenwechselmagazin ausgestattet war.[63] Erst als er schon über längere Zeit photographische Aufnahmen hergestellt hatte, hat er sich für besondere Zwecke Ka-

dieses Formats bis etwa 1902 belichtet wurden.

Der überwiegende Teil der Platten, insgesamt 338, hat ein Format von 9 × 12 cm. Auf ihnen sind Motive aus allen von Zille photographierten Gegenstandsbereichen festgehalten. Wie ein Vergleich mit einer 1891 datierten Zeich-

meras für größere Plattenformate ausgeliehen.[64]

Spätestens um 1890 muß Zille begonnen haben, seine Kamera auf Gegenstände außerhalb seines privaten Lebensbereiches zu richten. Das ist genau um die Zeit, in der er auch anfängt, sich mit Stadt und städtischen Lebensbedingungen zeichnerisch auseinanderzusetzen. Es ist daher nicht überraschend, daß eine Zeichnung aus der Krögel-Gegend uns einen ersten Datierungsanhalt für Zilles Photographien gibt. Die Zeichnung wird bei Ostwald mit der Beischrift publiziert: »Treppe im Krögelhaus. Eine der ersten echten Zillekompositionen aus dem Jahre 1891.« Wie die Textabb. 2 a–c zeigen, war sich Zille seiner kompositorischen Fähigkeiten damals noch nicht so sicher, daß er sich ohne Benutzung von Hilfsmitteln an die endgültige graphische Fassung herangemacht hätte. Aus einer Serie von drei Aufnahmen des 61–63 gleichen Hausdurchgangs wählt er sich die vom Gegenlicht kontrastreich beleuchtete An-63 sicht des Treppenhauses zur Vorlage. Der vorn rechts im Halbdunkel erscheinende Junge wird in der Zeichnung zu einem müden alten Mann. Aber damit nicht genug: um für die Figur der Frau am Fuß der Treppe eine Vorlage zu bekommen, läßt er ein Modell ganz unverhohlen vor der Kamera posieren (Textabb. 2 a).[66] Hiermit wird gleich zu Beginn seiner photo-

2 c Treppenhaus im Krögel, Zeichnung v. H. Zille, 1891, dat. u. sign. u. l.

graphischen Tätigkeit ein für Zilles Verhältnis zum Medium Photographie grundlegendes Moment erkennbar: er setzt die Kamera ganz instrumental ein; sie ist ihm Hilfsmittel, um sich Erinnerungsstützen und gegebenenfalls auch Vorlagen für seine graphischen Arbeiten zu verschaffen. Nicht nur am Anfang seiner Karriere, sondern auch noch in den Jahren nach 1900, als er längst die vielgerühmte Sicherheit seines schnell skizzierenden Striches erreicht hatte, lassen sich Zeichnungen nachweisen, denen photographisch vermittelte Vorwürfe zugrundeliegen.[67] Allerdings wäre es eine gröbliche Vereinfachung, daraus nun folgern zu wollen, die instrumentale Funktion von Photographie habe sich für Zille darin erschöpft, daß sie ihm archivierbare Zeichenvorlagen zur Verfügung stellte. Der Gebrauch, den er von der Kamera gemacht hat, belegt, daß er vom Medium wesentlich mehr erwartete.

Er betrachtet Photographie gewissermaßen als Erweiterung seiner Wahrnehmungsmöglichkeiten, die es ihm gestattet, Resultate von Beobachtung schnell und authentisch aufzunehmen und dauerhaft zu fixieren. Und da er nicht beobachtet, um bildwürdige Motive ausfindig zu machen, sondern die Kamera zur Unterstützung und Intensivierung eines allgemeinen Umschauens einsetzt, gerät ihm ganz anderes ins Bild als die von Lichtwark empfohlenen »Gipfelpunkte des Volkslebens«.[68] Er ist nicht aufs Außergewöhnliche aus, auf den einen ›fruchtbaren Moment‹, den es mit angespannter Geduld abzupassen gilt; ihm geht es ums Alltägliche, um den Normalzustand städtischen Daseins. Die zugespitzte Situation, der interessante Augenblick, mögen sich in einer Aufnahme, im glücklichen Schnappschuß, festhalten lassen. Ihr genaues Gegenteil, der gedehnte Gleichtakt alltäglicher Normalität, ist hingegen nur in umsichtiger, kontinuierlicher Beobachtung zutreffend wahrzunehmen. Die eine einzelne Aufnahme würde einen Moment stillstellen, dem gar nichts Momentanes eignet; sie würde – das Gleichmaß der Normalität unterbrechend und die Öde ihres Ausgedehntseins begrenzend – nichts weniger als ein falsches Bild liefern.

An dieser Stelle kommt Zilles eigene Erfahrung ins Spiel, denn das Falsche am künstlich ausgegrenzten Moment ist ohne Zeiterfahrung kaum erkennbar. Erst die am eigenen Leibe gespürte Dauer eines Zustandes, und das aus Betroffenheit hervorgegangene Wissen davon, wie lange die Dinge nun schon sind wie sie sind, ermöglicht es ihm, sich – entgegen allen Ratschlägen zeitgenössischer Photoästheten – den Verlockungen des ›Bildschönen‹, im Suchergeviert scheinhaft Stillgestellten zu entziehen. Auf zweifache Weise versucht er, den Gefahren der verfälschenden Besonderung zu begegnen: er thematisiert einen Zusammenhang, an den er die vereinzelt erscheinenden Dinge und Vorgänge verweist; und er photographiert Serien, in denen der einzelne Gegenstand entweder mehrmals unter verschiedenem Blickwinkel festgehalten ist, oder durch Zuordnung zu Gleichgeartetem relativiert wird. Dabei nutzt er in jedem Falle die technischen Möglichkeiten des Mediums voll aus. Obwohl er auf schwere und unhandliche Glasplatten photographiert, setzt er diese ein wie einen Kleinbildfilm, wenn es gilt, verschiedene Phasen eines Handlungsablaufs aufzunehmen oder den Zustand eines Dinges als einen allseitigen zu beschreiben. Geht es um Handlungen von Menschen, so besteht er nicht auf einer anekdotischen Erzählfolge. Eine Bildergeschichte, die einen bestimmten Handlungsablauf abschilderte, wäre ja schon wieder das Besondere. Er geht mit seiner Kamera auf den Markt, um die Frauen des Viertels beim Einkauf zu photographieren, nicht um eine Bildreportage vom arbeitsreichen Vormittag des Dienstmädchens Paula aus der Dankelmannstraße zusammenzustellen. Fügen sich doch mal einzelne Aufnahmen zu einer Geschichte zusammen, so konstituiert sich anekdotischer Sinn gewissermaßen zufällig, geht hervor aus der Tatsache, daß Zille es nicht bei einer Aufnahme von einem Vorgang beläßt.

Wo ihm Unbelebtes, Dingliches vors Objektiv gerät, scheint sich seine Skepsis gegenüber dem Medium noch zu steigern. Eine Tür, einen miesen Hauseingang photographiert er zwei- und dreimal. Wenn ihm in Berliner Straßen Ungewöhnliches, hintergründig Vertracktes begegnet, hält er es als ein einzelnes fest. Doch im nachhinein stellt sich heraus, daß es auch dafür einen Zusammenhang gibt, weil er sich so oft in den Straßen umgesehen hat, daß am Ende selbst eine so absurd anmutende Aufnahme wie die von den in Reih' und Glied angetretenen Kleiderpuppen den im Thema Großstadtstraße gesetzten Rahmen nicht sprengt.

Zumindest immer da, wo Zille die Kamera auf Städtisches richtet, läßt er sich von der scharfsichtigen Skepsis des Städters leiten. Er hat Stadt als einen vielschichtig widerspruchsvollen, in schneller Veränderung begriffenen Komplex erfahren, an dessen vielgestaltiger Oberfläche nur wenig von dem in Erscheinung tritt, was die Dinge im innersten bewegt. Deswegen versucht er zu vermeiden, daß ein Fragment dieser Oberfläche, ein geschickt komponierter Ausschnitt suggerieren könnte, er bilde das Ganze ab. Das Moderne, fortschrittlich Mediengerechte an Zilles Photographie ist gerade, daß er das Fragmentarische, im Moment der Aufnahme aus dem Wirklichkeitszusammenhang Herausgebrochene an der Pho-

129–133

49–51

77–80,
129–133

56, 5
58–6(
103, 1

108

24

3 Berlin, Krögel und Spandauer Straße, ca. 1903

tographie selber festzumachen sucht. Er erreicht das dadurch, daß er Serien aufnimmt und so die einzelne Aufnahme immer nur eine Ansicht unter anderen abbilden läßt.

Es stehen ihm auch noch andere Mittel zu Gebote, der in photographischer Detailgenauigkeit lauernden Anmaßung, hier werde Welt abgebildet wie sie ist, entgegenzutreten. Die großen Sichten, die Überblicke, kommen bei ihm nicht vor. Eine Krögelaufnahme, die aus der Höhe ›das Ganze‹ zu erfassen sucht (Textabb. 3), hätte er wohl als untauglichen Versuch deklariert. Wieviel von der engen, verkommenen Wirklichkeit des Krögels ist schon aus solcher Totale ablesbar? Da zieht er es vor, auf dem Boden zu bleiben und nah an die Dinge heranzugehen. Und wenn er dann

mit der Kamera vor einer Wand oder Tür steht, dann kann es vorkommen, daß er ein solches schon denkbar kleines Teilstück im Ausschnitt noch bewußt fragmentiert. Sehenswürdigkeiten und monumentale Ensembles photographiert er geradezu gegen den Strich, indem er entstellende Überschneidungen zuläßt und ausgesprochen antimonumentale Schrägsichten wählt.

56, 66, 102, 104

108, 109, 113, 114

Fremde Menschen hat Zille nur mit Zurückhaltung photographiert. Seiner Wirklichkeitsauffassung gemäß konnten sie ihm nur innerhalb der ihr Dasein bestimmenden Verhältnisse interessant sein. Doch zu diesen Verhältnissen, besonders wenn sie vom privatwirtschaftlichen Produktionsinteresse bestimmt waren, war ihm der Zugang weitgehend versperrt. Aber auch dort, wo keine Verbotstafel den Photographen zurückwies, war es schwierig, die Menschen in ihren Verhältnissen aufzuspüren, ohne sie aufzuscheuchen. Fast zwangsläufig mußte die außerordentliche Gelegenheit, photographiert zu werden, bei den meisten den Reflex auslösen, sich posierend über die als drückend und unwürdig erfahrenen Verhältnisse zu erheben.

Wieder zeigt sich hier die Tendenz zum Scheinhaften, Vorgetäuschten, die in photographischer Konfrontation mit Wirklichkeit immer impliziert ist. Zille wußte von ihr und mühte sich ständig, sie zu umgehen. Deshalb schaut er den Menschen mit der Kamera meist hinterher oder versucht anderweitig unbemerkt zu bleiben. Die Findigkeit und Kaltschnäuzigkeit, die dem Londoner Photographen Paul Martin um die gleiche Zeit so zupackende Schnappschüsse einbrachte,[69] ging Zille offenbar ab. Das lauernde Anpirschen mit der Kamera, wie es schon früh im Begriff ›Detektivkamera‹ angedeutet und nach 1900 in Photoanzeigen als Qualität vermarktet wurde (Textabb. 4), entsprach nicht seiner Art, sich im ›Milljöh‹ zu bewegen.[70] Er riskiert es allenfalls in seinem eigenen Quartier, wo man ihn kennt und ihm wohl auch seine Photo-Schrullen nachsieht (Abb. der Abteilungen 5, 6 und 9), seine Absichten unverhohlen aufzudecken. Aber auch dann hält er sich abseits, vermeidet es, den Menschen herausfordernd entgegenzutreten und nimmt stattdessen lieber hin, daß 182, 186 sein eigener Schatten mit ins Bild gerät (Textabb. 5).

Es muß hier eingeräumt werden, daß Zilles Scheu vor der Pose nicht durchgängig wachsam blieb. Bei Familienphotos schlagen auch in der Familie Zille hergebrachte Rollen- 6, 7 stereotype durch. Allerdings ist wohl mildernd in Rechnung zu stellen, daß sich familiäre Gruppenarrangements sicher nicht allein Zilles Repräsentationsbedürfnis verdanken. Doch

4   Photoannoncen aus der »Jugend«, 1904

auch, wenn er seine Künstlerkollegen und sich selbst mit ihnen aufnimmt, geht es nicht ohne demonstratives Gehabe ab. Nüchtern alltägliche Normalität kommt dabei nur selten ins Bild, obwohl erstaunlicherweise gerade die 34, 3 große Aktserie davon geprägt ist. Aber hier 36–4 ist die Unbefangenheit vielleicht eher dem Selbstbewußtsein des Modells gutzuschreiben. Andere Aktaufnahmen sind jedenfalls gleich wieder viel aufwendiger und auch hintersinniger inszeniert.

Die sich in der Dokumentation des Privaten niederschlagende Unsicherheit ist als bloß ›natürliche‹ Bescheidenheit nicht zureichend zu erklären. Hier zeigen sich vielmehr deutlich Zilles Sozialaufsteigerprobleme. Er ist sich

26

5 Heinrich Zille photographiert

seiner nicht so sicher, daß ihm die Selbstdarstellung fraglos gelänge. Im Familienkreise sucht er Zuflucht in der Hausvaterrolle und läßt es zumindest zu, daß Frau und Gast und Kinder sich ordentlich und geziemend dazu gruppieren; unter Künstlerkollegen muß das geschäftige Späßchen die Situation auflockern, so als sei Zille der Meinung gewesen, er wäre dort eher seines Berliner Witzes als seiner Zeichentalente wegen geachtet.

Der beschriebenen Gefahr der verfälschenden Pose, zu der Photographie ihr Objekt immer verleitet, war sich Zille voll bewußt. Hans Ostwald gegenüber sagte er: »Wenn ein Zeichner die Menschen aufs Papier bringen will, sind sie alle beleidigt, drehen den Kopf weg und schimpfen oder wollen ›einen aus dem Anzug stoßen!‹ Wenn aber ein Photograph sie auf die Platte haben will: Dann sind sie alle da und machen ein freundliches Gesicht!«[71] Zille hat sich mit dieser Schwierigkeit eingerichtet und es dennoch vorgezogen, Notizen über Menschen mit dem Kreidestift niederzuschreiben, statt lauter freundliche Gesichter auf seinen Platten wiederzufinden. Mit der Zeit hatte er seine Skizziertechnik soweit vervollkommnet, daß er praktisch unter vorgehaltener Hand zeichnen konnte.[72] Als er soweit war, muß er eine Art medienspezifischer Arbeitsteilung bei sich eingeführt haben: Menschen wurden in verstohlen schneller, treffsicher charakterisierender Skizze ›notiert‹; Orte und Szenerien, die größeren zeichnerischen Aufwand erfordert hätten, wurden photographisch festgehalten. An dieser Einteilung wird wieder erkennbar, wie genau sich Zille die technischen Möglichkeiten der Photographie bewußt gehalten hat. Darüber hinaus zeigt sich aber auch, wie weitgehend er selbst in dieser Verfahrensweise noch mit naturalistischen Forderungen übereinstimmt. Michael Georg Conrad beschreibt schon 1880 das analytische Vorgehen Zola's: »Nachdem er den Charakter, die Sitten, die Sprache, die Gewohnheiten seines Helden erforscht und bis in die kleinste Einzelheit sich derselben versichert hat, öffnet

er ein neues Arbeitsheft, um eine Reihe von
Orten zu beschreiben, d. h. nach der Natur zu
photographieren, in denen sich der Lebens-
gang des Helden oder der Heldin abspielt.«[73]
Doch mit der Photographie als einer Methode
der Wirklichkeitserfassung hatten die Naturalisten ihre Schwierigkeiten. Sie sahen sich dem
oft wiederholten Vorwurf ausgesetzt, daß ihre
Kunst nicht mehr als »trockene, ausdruckslose
Photographie sei«, der es an künstlerischer
Lebendigkeit mangele.[74] Dagegen setzten sie
sich zur Wehr, indem sie – nolens volens –
den ordnenden und gestaltenden Eingriff des
Künstlers doch wieder ins Spiel brachten.[75]
Entsprechend nimmt später auch Liebermann
Manet dagegen in Schutz, daß ihm die Benutzung von Photographien als Phantasielosig-
keit ausgelegt werden könnte, indem er mit all
seiner Autorität feststellt: »Nicht den Stoff zu
finden ..., sondern die Umgestaltung des Stof-
fes zum Kunstwerk macht den Künstler.«[76]
Auch Hans Baluschek hat die gleiche Sorge:
»So bemühe ich mich, meine Stoffe in das
Geistige der Dinge an sich und durch meine
Tendenz ins Persönliche zu heben. Schon bin
ich demnach kein Photograph.«[77]
Bei soviel Besorgnis der Arrivierten muß es
niemanden verwundern, wenn auch Zille von
seinen photographischen Arbeiten möglichst
wenig Aufhebens machte. In einer Zeit, in der

6   Lithographie v. H. Zille in der »Jugend«, 1905

die Maler »den Städtern das verlorene grüne
Paradies, das draußen vor den Toren liegt«
malten,[78] tat der ›Rinnsteinmaler‹ Zille sicher
gut daran, seine Zeichnungen nicht auch noch

dem Verdacht auszusetzen, bloße Abklatsche von Wirklichkeit zu sein. In einer Gesellschaft, in der die Konfliktlosigkeit als Ideal gepriesen wird,[79] und in der den Künstlern somit die Aufgabe zufällt, Ausweichmöglichkeiten bereitzustellen, kann es leicht geschehen, daß ein Künstler des dokumentarischen Beleges entraten muß, will er nicht Zweifel an der Glaubwürdigkeit seiner Phantasie aufkommen lassen. Für Zille jedenfalls hing viel davon ab, daß seine Reputation als phantasievoller Künstler nicht mehr als nötig in Zweifel gezogen wurde – nicht zuletzt die Wirkung seiner Blätter! Deshalb mag er es z. B. auch als belanglos angesehen haben, wenn eine nach einem Photo aus Charlottenburg angefertigte Lithographie in der ›Jugend‹ mit der Unterschrift erschien: »Berlin N. O. am Sonntag-Abend« (Textabb. 6).[80] Sicher war er sich darüber klar, daß das von ihm veröffentlichte Milieu keine festen, unverrückbaren Grenzen hatte. Entsprechend ist ihm vermutlich die das Einzelne nach Ort und Moment aussondernde Photographie als weniger geeignet erschienen, das Allgemeine, hinter der dinglichen Erscheinung Verborgene aufzuzeigen.

Ein anderer Grund mag noch mit bewirkt haben, daß Heinrich Zilles Photographien zur Zeit ihrer Entstehung und bis mindestens 1967 so wenig geachtet wurden: ihre augenscheinliche Kunstlosigkeit.[81] Ihr aufs Tatsächliche städtischen Arbeiter- und Kleinbürgerdaseins konzentrierter Informationswert und ihre technisch nüchterne, auf alle geschmäcklerischen Accessoires verzichtende Präsentationsform ließen sie seinerzeit aus jedem Rahmen fallen, den sich die ambitionierte Amateurphotographie gesteckt hatte. Hätte sich Zille jemals mit seinen Straßen- oder Marktaufnahmen vor eine Jury gewagt, hätte er wohl insbesondere deshalb Entrüstung geerntet, weil seine Photographien sich offensichtlich über alle Spielregeln einer ›künstlerischen‹ Tätigkeit hinwegsetzten.

Der Hauptvorwurf hätte vermutlich auf Zilles Weigerung gezielt, von einer Sache ein gültiges, charakteristisches Bild zu machen. Das war es nämlich, was immer wieder als die vordringliche Aufgabe des anspruchsvollen Amateurphotographen hingestellt wurde. »Aufgabe des Photographen ist es demnach, diese Schwierigkeiten, welche sich der Erzielung eines wahren Bildes entgegenstellen, wohl vorher zu erwägen. Soll ein Bild wahr sein, so muß er dafür sorgen, daß darin das Charakteristische hervortrete, das Nebensächliche sich unterordne. (Die gefühllose photographische Platte kann das nicht; sie zeichnet alles, was sie vor sich hat, nach unveränderlichen Gesetzen.)«[82]
Solche Ratschläge verwiesen das bürgerliche

, 163

Individuum an ein praktikables Selbstbehauptungsmittel. Gegenüber einer zunehmend widersprüchlicher und unbehaglicher werdenden städtischen Realität sollte es sich mit Hilfe der Kamera die Möglichkeit erhalten, gefühlvolle Subjektivität gegen Wirklichkeit auszuspielen. Deshalb wurde auch die dem Photographen gestellte Aufgabe erst dann als gelöst betrachtet, wenn es ihm gelungen war, mehr »als ein bloßes Spiegelbild der Wirklichkeit zu geben«.[83] Erst wenn das erreicht war, ließ sich befriedigt feststellen: »Und nun schafft er Bilder, die auch dem Künstler zu empfinden geben.«[84]

Bezeichnenderweise mutete man es dem bedrohten Individuum nicht zu, seine photographische Selbstbehauptung an der vielschichtig komplizierten städtischen Lebensumwelt zu erproben. Vielmehr verwies man es in romantisch kunstgeschichtlicher Tradition an Größe und Gleichmaß der freien, wildwüchsigen Natur.[85] »Die eigentliche Domäne des Amateurs ist ja die Landschaft. Hier kann er sich austoben, denn die Welt ist ja so weit.«[86] Auch der in den ›Lustigen Blättern‹ von 1903 karikierte Sezessionist mit unverkennbarem Liebermann-Kopf jagt mit seiner Kamera Schmetterlinge (Textabb. 7). »Ein glücklicher Wanderer, soll er sein Auge und sein Gemüt dem Überfluß der herrlichen Natur öffnen, weit mit seinem Blick das Werden und Wachsen suchen und sich mit seinen Empfindungen eins fühlen; dann wird für ihn auch der Moment kommen, wo er lauschend stehen bleibt und die Wunder der Natur fühlt – Dann an die Arbeit!«[87]

Verständlich, daß man sich unter solchen Voraussetzungen nicht darum bemühte, dem Medium auf dem fortgeschrittenen Stand seiner Technik zu begegnen. Stattdessen grübelte man über der Frage, wie es denn möglich sei, »den photographischen Apparat in jener persönlichen Weise zu benutzen, mit seiner Hilfe in dem Bilde persönlich Gesehenes zu geben«.[88] Das aber glaubte man nicht dadurch erreichen zu können, daß man die technischen Möglichkeiten der Bildfolge, des additiven Zusammensetzens von Wahrnehmungsprozessen, ins Spiel brachte – wie Heinrich Zille es ja immer wieder versuchte, sondern indem man das eine charakteristische Bild in einem ›künstlerischen Akt‹ immer schon vor der photographischen Aufnahme konstituierte. Photographie, camera work, reduzierte sich damit auf die bloße Fixierung eines immer schon gegebenen Bildes. Entsprechend riet Lichtwark, der Landschaftsphotograph möge mit Hilfe eines Papprahmens die Gegend nach ›Bildern‹ absuchen, denn: »Es kann nicht eindringlich genug empfohlen werden, nur wenige Aufnahmen zu machen, aber mit äußerster Vorsicht und Umsicht jede einzelne Arbeit vorzubereiten.«[89]

In Berlin hatte die Amateurphotographie eine lange Tradition. Schon 1863 fand die Grün-

Der Sezessionist auf der Studienreise.

7 Karikatur aus »Lustige Blätter«, 1903

dung des ›Photographischen Vereins zu Berlin‹, der »ältesten Vereinigung dieser Art in Deutschland« statt. 1865 wurde die erste ›Allgemeine Photographische Ausstellung‹ veranstaltet. Sie fand schon mit internationaler

Beteiligung statt, wurde von 270 Ausstellern beschickt und trug wesentlich dazu bei, das Ansehen der Photographie in der Öffentlichkeit zu heben: »Die Photographie wurde zum Tagesgespräch, der Kreis der Gebildeten gewann Achtung vor einem Verfahren, das bis dahin für nichts weiter als ein billiges Porträtiermittel gehalten wurde.«[90] Seit 1889 existierte auch noch eine ›Freie Photographische Vereinigung zu Berlin‹, die ihrerseits Vorträge und Projektionsabende veranstaltete und mit Ausstellungen vor die Öffentlichkeit trat.[91]

Da die von der künstlerisch ambitionierten Amateurphotographie gesuchte Annäherung an die Kunst insbesondere auch mit labortechnischen Kunstgriffen betrieben wurde, fungierten die Photographischen Vereinigungen als Vermittlungsstellen für neue Verfahren und Drucktechniken. In ihren Programmen und Mitteilungsblättern nehmen Erläuterung und Diskussion neuer Gerätschaften und Prozeduren einen breiten Raum ein. Auch von den Gattungen der ›Kunstphotographie‹ und von ihrer Verpflichtung, an der »Erziehung zum guten Geschmack und Kunstverständnis«[92] mitzuwirken, ist viel die Rede. Entsprechend bemüht man sich auch, die öffentliche Darstellung der Vereinsarbeit institutionell in das Bildungssystem der bürgerlichen Gesellschaft einzugliedern. 1893 stellt Lichtwark die Ham-

31

burger Kunsthalle für eine internationale Photo-Ausstellung zur Verfügung,[93] in München übernimmt 1898 die Sezession diese Aufgabe,[94] in Berlin sitzen 1905 in der Aufnahmejury zur ›Internationalen Ausstellung Künstlerischer Photographien‹ die Maler Leistikow und Liebermann sowie die Kunsthistoriker von Tschudi und Wölfflin.[95]

Die Beschäftigung mit Edeldruckverfahren war kostspielig und aufwendig. Entsprechend boten die Mitgliedschaften der Photographischen Vereinigungen ein »ziemlich exklusives Bild«.[96] So ist es auch nicht verwunderlich, daß in den Mitgliederlisten der beiden Berliner Vereine der Name Zille nicht vorkommt.[97] Doch er hätte für seine photographischen Interessen und Probleme dort wohl auch wenig Aufmerksamkeit gefunden. Jedenfalls stößt ein Blick auf die Vortragsthemen und in die Fachzeitschriften nicht auf Titel, die bezeugen könnten, daß die Dokumentation städtischer Sozialverhältnisse zu den dringlichen Aufgaben der Photographie gerechnet worden sei.

Eine Mitteilung in der ›Photographischen Rundschau‹ von 1894 weist jedoch auf diese Einsatzmöglichkeit des Mediums; sie ist allerdings aus einer amerikanischen Photo-Zeitschrift übernommen und in der Rubrik ›Umschau‹ abgedruckt: »›Photographien der Wohnungen der Armen und Elenden‹. Nach Mit-theilungen des ›Globe‹ hat ein Geistlicher in Chicago Mittel gesammelt, zu dem Zwecke, Photographien der schmutzigsten und armseligsten Theile der Stadt, insbesondere der zerfallendsten und jämmerlichsten Baracken, ›Pennen‹ und dergleichen (wovon es in Chicago wimmelt) womöglich mit ihren Insassen aufzunehmen. Es soll dadurch den Wohlhabenden und Reichen gezeigt werden, in welchem Elend und welcher Verkommenheit ihre ärmsten Brüder leben; man will diese Photographien in Kirchen, Bibliotheken, Vorlesungs- und Concertsälen und überall da aufhängen, wo das Volk zusammenströmt.«[98] In diesem Hilfsprogramm ist die Funktion von Photographie genau bestimmt: sie soll unwiderleglich einen unhaltbaren Zustand bezeugen und dadurch alle von der Notwendigkeit seiner Veränderung überzeugen – insbesondere die, die das Vermögen dazu haben! Leisten sollte dies die ›candid camera‹, die aufrichtige, zur Tatbestandsaufnahme vor Ort befähigte Kamera. Doch der Optimismus, der hier entgegen aller Doktrinen der künstlerischen Photographie seine Hoffnung auf die technische Möglichkeit der momentanen Zustandsaufnahme setzt, ist im Irrtum. Lincoln Kirstein hat darauf hingewiesen, daß gerade die vor Ort getätigte ›aufrichtige‹ Momentaufnahme, die nur ein Bruchstück eines Ablaufes, eines Sich-Befindens festhält, Wirklichkeit eher verstellt als offenlegt.[99] Daher kann appellative Photographie, die sich in den Dienst einer mit Überzeugung durchzusetzenden Sache stellt, von den Möglichkeiten der ›candid camera‹ nur bedingt Gebrauch machen.

Die Schnappschüsse Paul Martins, die er in den neunziger Jahren auf Londoner Straßen, am Strand und bei Landpartien aufgenommen hat,[100] sind für uns reizvoll, fremdartig interessant oder auch belustigend, doch über die Daseinsverhältnisse der auf ihnen abgebildeten Menschen teilen sie uns wenig Eindeutiges mit. Ganz ähnlich ist das ausgelassene, verrückte ›Phototagebuch‹ von Henri Lartigue[101] zwar ein amüsant anzuschauendes Zeitdokument, doch wir erfahren daraus mehr über den Photographen als über die photographierten Menschen und ihre Lebensverhältnisse. Je verblüffender der im Schnappschuß fixierte Moment ist, je weniger Einblick gewährt er uns in das, was ihm vorauslag, und das, was nach ihm kam.

Appellative Photographie hat sich von Anfang an anderer Mittel bedient, um die ihr vorausgesetzten und übergeordneten Zwecke zu verfolgen. In der Zeit, als die Aufnahmetechnik Momentaufnahmen noch gar nicht zuließ, versuchte man, das Elend so auf die Platte zu bannen, daß ein bürgerlicher Betrachter und präsumptiver Spender davon gerührt werden mußte. Berühmt geworden ist Rejlanders ›Poor Jo‹ (um 1860), der als Plakatfigur für die Unterstützung verwahrloster Kinder warb.[102] Soziale Hilfsorganisationen legten Wert darauf, daß der Erfolg ihrer Tätigkeit photographisch dokumentiert wurde. So vertrieb ein Londoner Kinderheim um 1870 Photographien, die den Gegensatz des Aussehens von Heiminsassen vor und nach der Aufnahme illustrierten.[103] Daß solche Photos sorgfältig arrangiert wurden, ist ihnen leicht anzusehen. Ob ihnen – nach der Devise: der Zweck heiligt die Pose – ihre Spekulation auf sentimentale Ergriffenheit auch ebenso leicht nachzusehen sei, bleibt zu bedenken. Zu deutlich richtet sich oft die Absicht, sozialen Mißständen abzuhelfen, nur auf die Folgen des Übels – von Ursachen ist auf und zu solchen Photographien selten die Rede.

Auch die vielleicht engagiertesten Vertreter der appellativen Dokumentarphotographie, Jacob A. Riis und Lewis W. Hine, deren Arbeiten durch beachtliche sozialpolitische Konsequenzen beglaubigt wurden,[104] haben arrangierend in den abzubildenden Zusammenhang eingegriffen. Beide versuchen, die Wirkung des intendierten Appells durch das Mittel der direkten Konfrontation zu steigern: sie lassen die Menschen oft in die Kamera und damit aus dem Bilde blicken, um so eine Form persönlich unmittelbarer Ansprache des Betrachters zu erreichen. Mütter mit Kindern werden zuweilen in madonnenhafter Pose aufgenommen.[105] Besonders Hine tendiert dazu, bei seinen Kinderaufnahmen das Verhältnis von kleinem, hilflosem Kind zu großer, maschinenhafter Umgebung anschaulich auseinanderzutreiben. Diese zurechtrückenden Kunstgriffe werden jedoch stets in der Hoffnung angewandt, die Glaubwürdigkeit des Photodokuments zweckdienlich zu steigern. Insofern kann und soll hier nicht von fälschender Manipulation gemunkelt werden. Es geht allenfalls darum, über die Angemessenheit des Eingriffs nachzudenken.

Die Kategorie der Angemessenheit ist ästhetisch nicht zu bewältigen, besonders dann nicht, wenn die in Frage gestellte Sache vorgibt, Wirklichkeit widerzuspiegeln. Dann geht es letztlich um einen angemessenen Begriff von Wirklichkeit, der sich nicht nur abfindet mit dem, was ist, sondern in dem auch eine Vorstellung von dem, was sein soll, aufgehoben ist. Appellative Dokumentarphotographie hat – wie verschwommen auch immer – eine Vorstellung von dem, was anders und besser sein könnte als das Gegebene. Schon deshalb ist sie nicht leichthin als sentimental oder gar aufdringlich abzutun. Zu bedenken ist allerdings, ob die Methode, mit der sie ihre Ziele verfolgt, im Einklang mit ihrem dokumentarischen Anspruch steht. Da der Zweck, der mit ihrer Hilfe verfolgt werden soll, immer schon vor dem eigentlich dokumentierenden Akt, der photographischen Aufnahme, bestimmt und für gut befunden ist, geht diese positive Zweckbestimmtheit von vornherein in den photographischen Prozeß und sein Resultat ein. Dadurch wird der Betrachter der appellativ dokumentierenden Photographie in seinen Möglichkeiten beschnitten. Er kann sich nicht mehr unvoreingenommen mit dem auseinandersetzen, was vorgeblich bloß dokumentiert ist, sondern muß sich von Anfang an mit der in die Photographie eingegangenen Zweckbestimmtheit herumschlagen.

Ob das in jedem Falle schlecht ist, sei einstweilen dahingestellt. Zunächst soll hier an das Problem erinnert werden, das uns anläßlich des Volksbühnenstreits 1892 begegnete (p. 13). Da in ihrer Zweckbestimmtheit das Richtige und das Falsche, das Gute und das Schlechte, immer schon mitbegriffen ist, tendiert appellativ dokumentierende Photographie dazu, sich einen »volkspädagogischen« Führungsanspruch anzumaßen. Etwas von Besserwisserei ist ihr immanent. Damit soll jedoch nicht gesagt sein, daß sie den Betrachter unausweichlichen Anschauungszwängen aussetze, eher kann sie ihn – im günstigen Falle – zu unkonventionellen Anschauungsweisen veranlassen.[106]

Wie aber wäre nun eine alternative Möglichkeit von gesellschaftskritisch dokumentierender Photographie zu bestimmen? Zurückgreifend auf das Lehrbeispiel vom Volksbühnenstreit (p. 13), müßte sie in kollektiven Meinungsbildungsprozessen ihre Stelle finden. Sie müßte also weniger den Charakter des schlagenden Arguments als den diskursiv erläuternder Rede haben; sie müßte den Anspruch aufgeben, sagen zu wollen, was ist, und stattdessen versuchen darzulegen, wie sie ihre Gegenstände vorgefunden hat. Ihre Dokumentationsabsicht müßte auf Zergliederung · und Analyse zielen, um Durchblicke und Einsichten zu ermöglichen, die auch die mitleiderregende Schauseite des Elends noch zu durchdringen vermögen. Dabei sollte sie keinesfalls auf Entscheidungen verzichten, aber sie sollte sie nicht vorwegnehmen, sondern herausfordern und vorbereiten.

Wenn man für möglich hält, daß Photographie das leisten kann, dann müßte man von analytischer Dokumentarphotographie sprechen. Wir halten es für möglich und glauben, daß Heinrich Zille einer der ersten war, der seine Kamera in dieser Weise benutzt hat. Ihm zugesellen sind andere: Eugène Atget[107] und später die Photographen der ›Farm Security Administration‹ – Walker Evans vor allen anderen.[108]

Atget ist anders als Zille. Zwar ging auch er der Photographie nicht gewerbsmäßig nach, doch hatte er auch keine anderen Ambitionen außer der Photographie. Mit einer alten – gemessen an der phototechnisch industriellen Entwicklung – unmodernen Stativkamera photographiert er Paris – Straßen, Ecken, Höfe, Treppenhäuser, Läden und Zimmer. Wo ihm Menschen vors Objektiv geraten, müssen sie sich den Bedingungen des Geräts fügen und stillhalten. Aber auch sonst erscheint alles leblos und stillgestellt auf seinen Photos. »Zeichen des nicht aufhaltbaren Untergangs« sieht Stelzer darin;[109] den »Bann der Entfremdung« glaubt Kahmen darin zu erkennen.[110] Weniger apokalyptisch und damit historisch genauer spricht Benjamin davon, daß der Exschauspieler Atget sich daran gemacht habe, »auch die Wirklichkeit abzuschminken«.[111] Ein Wort von Camille Recht aufnehmend weist er darauf hin, daß die menschenleeren Photos polizeilichen Tatortaufnahmen gleichen. Und er fragt dazu: »Aber ist nicht jeder Fleck unserer Städte ein Tatort? nicht jeder ihrer Passanten ein Täter? Hat nicht der Photograph – Nachfahr der Augurn und der Haruspexe – die

35

Schuld auf seinen Bildern aufzudecken und den Schuldigen zu bezeichnen?«[112]

Heinrich Zille hat für sich selbst, für seinen Bedarf und seine persönlichen Zwecke photographiert. Es sei nochmals deutlich darauf hingewiesen, daß er sich als Zeichner begriff und in der graphischen Darstellung die für ihn gültige Möglichkeit der Veröffentlichung seiner Ansichten und Vorstellungen sah. Aber gerade diesem Verzicht auf Publizität verdanken seine Photographien ihre analytischen Qualitäten. Dabei sind – wie wir zu erklären suchten – die Privatphotos und ein paar Landschaftsstudien apart zu halten. Die anderen Dokumentaraufnahmen zeichnen sich gerade dadurch aus, daß sie sich jeder demonstrativen Geste enthalten. Nüchtern und klar, ohne Anspruch auf bildmäßige Schönheit und Ausgewogenheit, legen sie dar, wie der Photograph Zille seinerzeit die Menschen und ihre Daseinsverhältnisse in Berlin vorgefunden hat. Dabei breiten sie das dokumentierend Festgehaltene vor uns aus, ohne daß sie uns schon in zwingender Formulierung das zusammenfassende Ergebnis suggerierten. Die Summe bleibt noch zu ziehen, der Begriff vom Ganzen und seinem Zusammenhang ist noch herzustellen. Aber Zilles Photographien machen diese Anstrengung zum Begriff möglich und fordern sie heraus.

Auch wenn Zille seine Photographien nicht selbst veröffentlicht hat, so ist jetzt, nachdem sie dem Œuvre öffentlich zugeordnet wurden, zu fragen, ob nicht am landläufigen Zillebild die eine oder andere Korrektur vorzunehmen sei.[113] Paul Westheim wollte 1931 in Zille einen Ethnographen sehen, »der Leben und Treiben, Sitten und Unsitten einer der Kulturwelt fast nur noch vom Hörensagen bekannten Rasse, der Berlin-N-Proletarier, erkundet hat«.[114] Abgesehen davon, daß der Begriff Rasse im zitierten Zusammenhang auf Furchtbares vorausweist, ist hier die Zille unterstellte Distanz zum Gegenstand wesentlich zu groß bemessen. Es war mehr als naturwissenschaftlicher Forschungsdrang, was ihn an das Milieu seiner Herkunft band. In den ›Minima Moralia‹, im nach dem Kriege entstandenen dritten Teil von Adornos ›Reflexionen aus dem beschädigten Leben‹ steht der aphoristisch zugespitzte Satz: »Zille klopft dem Elend auf den Popo.«[115] Auch wenn der in diesem Satz enthaltene Zorn sich wohl eher auf gewisse Vermarktungserscheinungen bezieht, trifft er doch den Zeichner Zille nicht völlig zu Unrecht. Doch die Photographien beweisen wiederum, daß aufs Ganze gesehen hier die Distanz zu kurz abgesteckt ist. Von einer lüsternen Zudringlichkeit Zilles gegenüber Armut und Verkommenheit lassen sie nichts erkennen. Wenn aber Zilles Position wiedermal dazwischen liegt, zwischen der nur noch aus übergeordnetem Interesse abgeleiteten Forscherhaltung und triebhaft privatem Annäherungsbedürfnis, wie ist sie dann zu bestimmen? Als Parteilichkeit?[116]

Mit Benjamins Forderung, daß in Tatortphotos Schuld aufzudecken sei, sind wir bei dem eingangs angedeuteten Problem der eigenen Stellungnahme. Benjamin sagt von Atgets Photographien, was für die Zilles sicher ebenso gilt: »Die photographischen Aufnahmen beginnen bei Atget Beweisstücke im historischen Prozeß zu werden. Das macht ihre verborgene politische Bedeutung aus. Sie fordern schon eine Rezeption im bestimmten Sinne. Ihnen ist freischwebende Kontemplation nicht sehr angemessen.«[117] Der historische Prozeß dauert an. Und wenn die Photographien Heinrich Zilles darin Beweisstücke sind, dann ist von nun an jeder gefragt, gegen wen sie vorgelegt werden sollen. Zille selber hätte sie – dessen sind wir sicher – gegen die verwandt, die aus dem, was er sichtbar macht, ihren Nutzen zogen.

Anmerkungen

Die benutzte Literatur ist in den Anmerkungen nur mit Autorennamen, Erscheinungsjahr und Seitenzahl angegeben. Das volle Zitat ist im alphabetisch geordneten Literaturverzeichnis aufzufinden.

1 Biographische Information von relativ hoher Verläßlichkeit findet sich in Schriften, die sich auf unmittelbare Mitarbeit von Heinrich Zille selbst oder von seiner Tochter, Frau Margarete Köhler-Zille, berufen können: Ostwald, 1929; Flügge, 1955 und 1974.

2 Die Publikationen sind im Verzeichnis der Zille-Literatur aufgeführt.

3 Bestrebungen, Zilles berlinischen Sprachwitz, seine Vertrautheit mit dem ›Milljöh‹ und den daraus geförderten Anekdotenschatz zu eigenem Amüsement und Nutzen zu verwerten, lassen sich schon in den 20er Jahren reichlich feststellen – ›Zille-Bälle‹, ›Zille-Zigaretten‹, ›Zille-Liköre‹ etc. Daran erweist sich ein verbreitetes Bedürfnis, Zilles Sozialkritik in ›Lustigkeit‹ und ›Lebensfreude‹ zu ersticken oder zumindest mit dem Etikett ›gütig humorvoller Menschlichkeit‹ zu überkleben.

4 Die bloßen Stationen des Lebenslaufes sind aus verschiedenen Datenzusammenstellungen leicht zu ersehen; s. Katalog, Abt.1, Anm.1.

5 Ostwald, 1929, p.349.

6 Ostwald, 1929, pp.349–360; Lange, Annemarie, 1967, pp.99–106.

7 Flügge, 1955, pp.38/39.

8 Flügge, 1955, p.33; geringfügig abweichend: Ostwald 1929, pp.20/21, und Heilborn, o.J., pp.11/12.

9 Flügge, 1955, p.33, und ders., 1974, p.7.

10 Ostwald, 1929, pp. 29/30; s. a. p. 26.

11 Kat. Ausst. Akad. d. Kste., Berlin 1958, p. 69. Die Wohnung in der Sophie Charlotten-Str. 88 lag nicht in den Gebieten Charlottenburgs, die man als ›den Berliner Westen‹ bezeichnete – s. Katalog, Abt. 5. Allerdings zeugt ihre auf Photographien sichtbare Ausstattung nicht nur von einem bescheidenen Komfort, sondern auch von zeitgenössisch bürgerlichem Repräsentationsbedürfnis. Der Aufstieg der Familie aus proletarischen Verhältnissen ist auch am Werdegang von Heinrich Zilles Kindern abzulesen: die Tochter heiratet einen Handwerksmeister aus Mecklenburg, der älteste Sohn wird Lehrer, der zweite erhält eine Ausbildung als Graphiker – s. Flügge, 1955, pp. 68/69 und 144, 148.

12 s. oben, Anm. 11.

13 Flügge, 1955, pp. 77–82.

14 Flügge, 1974, p. 61.

15 Heilborn, o. J., p. 54.

16 Flügge, 1955, p. 165.

17 Frey, 1943, pp. 121/122.

18 Nagel, 1973, p. 19; Zille war sehr hilfsbereit, er wandte u. a. eigene Mittel auf, um für andere Arzt- und Apothekenkosten zu begleichen – s. Walter Zille, 1952, p. 11.

19 Behne, 1949, p. 6.

20 Tendenzen dazu zeigen sich schon bei Ostwald; am ärgerlichsten breitet sich diese Sentimentalisierung aus bei Fork, Harald – Zille, großes Herz für kleine Leute, Hannover 1958.

21 Der Spielraum der angesprochenen Statusveränderung ist nicht in einem grob zwischlächtigen Modell vom Klassenantagonismus vorzustellen. Ein lohnabhängiger Lithograph, der sich für eigenen Bedarf Zeichenmaterial und -gerät anschafft, wird dadurch noch nicht zum Besitzer volkswirtschaftlich relevanter Produktionsmittel. Aufstieg und Veränderung sind vielmehr in einem wesentlich differenzierter gestuften Modell gesellschaftlicher Hierarchie zu denken.

22 Ostwald, 1929, pp. 21/22.

23 S. Katalog, Abt. 6, p. 67; Ostwald/Hans Zille – Zille's Hausschatz, 1931, Abb. pp. 367–378.

24 Hamann/Hermand – II, 1972, p. 280 – konstatieren: »Den Höhepunkt des Naturalismus, auf den man ein ganzes Jahrzehnt gehofft und gewartet hatte, bilden daher erst die Jahre 1889 bis 1891.« Schulz – 1973, p. 32 – stellt fest: »Mit dem Jahre 1892 ebbte die Flut sozialer Romane und Novellen merklich ab, wie auf dem Theater der Dichter von ›Vor Sonnenaufgang‹ und der ›Weber‹ hinter dem von ›Hanneles Himmelfahrt‹ und der ›Versunkenen Glocke‹ zurücktrat.«

25 Cowen, 1973, pp. 73–77; Lidtke, 1974, pp. 16–19.

26 Cowen, 1973, pp. 77/78; Lidtke, 1974, pp. 20/21.

27 Goetze, 1971, p. 25; Cowen, 1973, pp. 78–83; Rothe, 1973, p. 8.

28 Goetze, 1971, pp. 26–29, Dehmel-Zitat p. 28.

29 Oschilewski, 1965, pp. 8–14.

30 Lidtke, 1974, p. 32.

31 Oschilewski, 1965, pp. 15–20; zur Auseinandersetzung zwischen Naturalisten und Sozialisten s. vor allem Mehring – Ges. Schr., Bd. 12, pp. 248–315, und Lidtke, 1974, pp. 14–37. Theo Meyer – 1973, p. 16 – bescheinigt den deutschen Naturalisten »vagen Fortschrittsoptimismus, diffusen Aufbruchsenthusiasmus und volkspädagogischen Utopismus.«

32 Daß diese Frage nicht leichthin, in voluntaristischer Dezision, zu entscheiden ist, geht unter anderem aus einer Stellungnahme Alfred Döblins zum Problem hervor: ›Kunst, Dämon und Gemeinschaft‹ (1926).

33 Meyer, Theo, 1973, p. 7.

34 Hamann/Hermand, II/1972, pp. 7–10 und passim; Rothe, 1973, p. 15.

35 Liebermann war schon im Ausgang der siebziger Jahre ein »Apostel der Häßlichkeit« geschimpft worden – s. Leixner, 1878, p. 52; aber der ihm vorgehaltene »Trivialismus« manifestierte sich noch ausschließlich in der Darstellung ländlichen Lebens und Arbeitens. Erst die folgende Generation der mit Zille gleichaltrigen Maler griff Motive aus dem städtischen Lebens- und industriellen Arbeitsbereich auf – s. Hamann/Hermand, II/1972, pp. 275–277.

36 Mehring – Ges. Schr., Bd. 12, p. 169.

37 Heilborn, o. J., p. 20; Ostwald, 1929, p. 26; Frey, 1943, p. 121.

38 Schulz, 1973, pp. 28/29; s. dazu auch in Kreuzers Arbeit über ›Die Boheme‹ (1968/1971) das Kapitel: »Das Verhältnis zur städtisch-industriellen Zivilisation und ihrer Geldwirtschaft«; und Hamann/Hermand, II/1972, pp. 192–234.

39 Mehring (1892) – Ges. Schr., Bd. 12, p. 255; s. a. Bd. 11, pp. 131–133.

40 Negt/Kluge, 1973, pp. 94–96.

41 Ostwald, 1929, p. 104; ähnliche Äußerungen finden sich auch in den ›Hurengesprächen‹.

42 Berlin, 1914; photostat. Nachdruck, Hannover 1967.

43 Taine – Philosophie de l'art, 1865–69; s. dazu: Keller, 1950; Hamann/Hermand, II/1972, pp. 112–124; Meyer, Theo, 1973, pp. 23–25; Cowen, 1973, pp. 31/32.

44 Eine solche Entscheidung für ein bestimmtes Milieu begründet Arno Holz wie folgt: »Ob Berlin für die deutsche Welt heute ›typisch‹ ist oder nicht, ist mir gleichgültig. Berlin ist das einzige Milieu, das ich allenfalls einigermaßen kenne … Menschen ohne Milieu, konstruierte, abstrakte, kann ich für meine Zwecke nicht brauchen«; zitiert nach Hamann/Hermand, II/1972, p. 128.

45 Hamann/Hermand, II/1972, pp. 117/118.

46 Holz, Arno – Die Kunst, ihr Wesen und ihre Gesetze, Berlin 1891, p. 7; zitiert nach Meyer, Theo, 1973, p. 23.

47 Ostwald, 1929, p. 29.

48 Alberti, Conrad – Der moderne Realismus in der deutschen Literatur und die Grenzen seiner Berechtigung (1889), in: Meyer, Theo, 1973, pp. 166–168, Zitat p. 166.

49 Zu Zolas Romantheorie s. Meyer, Theo, 1973, pp. 36–43; Cowen, 1973, pp. 49–61.

50 Röhr, Julius – Das Milieu in Kunst und Wissenschaft (1891), in: Meyer, Theo, 1973, pp. 253–257.

51 S. Katalog, Abt. 2; ergänzend sei auf den Nachruf des Bildhauers August Kraus verwiesen, in dem es heißt: »Und es mag kein Zufall sein, daß berühmte Künstler den Lithographen und Arbeiter Zille oft in seiner Werkstatt aufsuchten, ohne zu ahnen, daß dieser Arbeiter einst in die Akademie seinen Einzug halten würde«; s. Ostwald/Hans Zille – Zille's Hausschatz, 1931, pp. 19/20.

52 Das Berlin-Museum besitzt eine große Anzahl dieser ›Notizen‹. Einige davon sind abgebildet in: Jannasch, 1960.

53 Ostwald, 1929, p. 112; Heilborn, o. J., pp. 21 und 40; Nagel in: Kat. Ausst. Akad. d. Künste, Berlin, 1958, p. 10, und Nagel, 1973, pp. 20–25.

54 Eine zusammenfassende Darstellung der kunsthistorischen Entwicklung geben Hamann/Hermand, III/1972 und IV/1973.

55 Hamann/Hermand, II/1972, p. 25.

56 Die von Friedrich Luft – in: Heinrich Zille: Mein Photo-Milljöh, Hannover 1967 – gemachten Angaben zu Anlaß, Datierung und Technik der photo-

graphischen Tätigkeit Zilles sind falsch. Sie werden z. T. schon durch die Daten der im Band selbst abgebildeten Zille-Graphiken widerlegt – s. Abb. 6, 13, 26, 88. Unverändert wurden die Angaben bisher übernommen von Pfefferkorn in: Kat. Ausst. ›Heinrich Zille‹, Berlin 1968; Schmoll gen. Eisenwerth/ Helga D. Hofmann in: Kat. Ausst. ›Malerei nach Fotografie‹, München 1970, p.71; Coke, 2.Aufl., 1972, pp. 96/97.

57 1974 weist Flügge, p.15, darauf hin, daß Zille gern photographierte. In einer ständigen Zille-Ausstellung des Märkischen Museums in Berlin (DDR) sind inzwischen ebenfalls eine Reihe von Zille-Photos ausgestellt, die nach Abzügen aus einem Photo-Album im Besitz von Frau Margarete Köhler-Zille reproduziert sind.

58 Ostwald, 1929, pp. 375/376. Die ›Photographische Gesellschaft‹ stellte Reproduktionen von Gemälden und Bildnissen (›Corpus Imaginum‹) her. Der Bestellkatalog des als Kunstverlag firmierenden Betriebes von Oktober 1910 ist ca. 300 Seiten stark.

59 Zilles Vertrautheit mit der Entwicklungsprozedur geht unter anderem aus Zeichnungen von diesem Arbeitsgang hervor – s. Ostwald/Hans Zille – Zille's Hausschatz, 1931, p. 351, und ›Das große Zille-Album‹, 10. Aufl., Hannover 1964: »Bis jetzt habe ich jede fotografiert!«.

60 Es handelt sich um die handelsüblichen Formatangaben 9 × 12/12 × 16/13 × 18/18 × 24 cm. Die exakten Maße der Glasplatten sind davon z.T. geringfügig verschieden; lediglich bei den Großformaten (18 × 24 cm) sind stärkere Abweichungen zu verzeichnen. Wie den Etiketten alter Plattenverpackungen zu entnehmen ist, benutzte Zille u.a. »Dr. Schleussner's Gelatine-Emulsionsplatten«.

61 1 Gruppenporträt, 3 Landschaften, 1 Akt, 1 Plastik.

62 Die alten Kontaktabzüge sind im Katalog, Abt. 4, beschrieben.

63 Die zusammenhängenden Bildsequenzen von den Reisigsammlerinnen (Abb. 129–133; 135–138) lassen erkennen, daß Zille seine Kamera in relativ kurzen Abständen wieder aufnahmebereit machen konnte. Kameras mit Plattenwechselmagazinen wurden seit den achtziger Jahren in verschiedenen Systemen gebaut – s. Gernsheim – Die Fotografie, 1971, p. 48; verschiedene Typen sind beschrieben in: Vogel – Hdb. d. Photographie III, 1, Berlin 1897, pp. 70–79.

64 Hier ist auch daran zu erinnern, daß man wegen der um 1900 noch relativ aufwendigen und zeitraubenden Vergrößerungstechnik sich meist mit Kontaktabzügen begnügte, dafür aber in bestimmten Fällen ein größeres Plattenformat wählte.

65 Ostwald, 1929, p. 195. Der derzeitige Verbleib der Zeichnung konnte nicht ermittelt werden.

66 Daß die Aufnahme der Frau mit Einkaufskorb aus einem zweckvoll arrangierten Zusammenhang stammt, wird durch eine zweite Aufnahme der gleichen Frau im gleichen Zimmer bewiesen. Beide Negative 9 × 12 cm.

67 Als Vorlagen im engeren Sinne wurden u.a. verwendet: Abb. 60, 63, 64, 80, 83, 89, 90, 99, 101, 103, 104, 127, 145, 182.

68 Lichtwark legt einen Motivkatalog für photographische Genre-Studien vor, der viel Übereinstimmung mit Liebermanns Hamburger Bildern aufweist. Entsprechend empfiehlt er auch, den Blick an Bildentwürfen von Malern (Millet, Bastien-Lepage) zu schärfen. Ganz ähnliche Ratschläge erteilt Th. Hofmeister: »Ein Millet, Meunier, Liebermann, Leibl und andere sind wahrscheinlich der Nacheiferung würdig.« – s. Lichtwark, 1894, pp. 27/28; Hofmeister, 1898, p. 363.

69 Jay, 1973.

70 Zum Begriff ›Detektivkamera‹ s. Pollack, 1962, pp. 201 u. 206. Schon 1894 wird in der ›Gartenlaube‹ besorgt geäußert: »Ausgerüstet mit dem Momentapparat, mit der ›Geheim‹- oder ›Detektiv-Kamera‹, kann der Liebhaberphotograph seinen Nächsten auch lästig werden«; in: Facsimile-Querschnitt, 1963, p. 143.

71 Ostwald, 1929, p. 90; Berichte darüber, daß der skizzierende Zille Anfeindungen ausgesetzt war, ibid., pp. 90, 174, 223.

72 Heilborn, o. J., p. 21; Nagel, 1973, pp. 21–23.

73 Conrad – Parisiana (1880), in: Meyer, Theo, 1973, p. 106; hier ist daran zu erinnern, daß Zola selbst photographiert hat und u.a. eine bedeutende Sammlung von Straßenaufnahmen hinterließ – s. Braive, 1965, p. 199; Mitry, 1975.

74 Schulz, 1973, p. 43.

75 Meyer, Theo, 1973, pp. 17 u. 232; s.a. Freund, Gisèle, 1968, pp. 93 u. 111/112.

76 Liebermann (1910), in: Ges. Schr., 1922, p. 150.

77 Baluschek (1920), in: Kat. Ausst. ›Hans Baluschek‹, Berlin, Kunstamt Kreuzberg, 1975, p. 10. Daß andere Maler es schon angeraten fanden, die Benutzung von Photographien zu verheimlichen, ist nachzulesen in: Scharf, 1968, p. 125; Kat. Ausst. ›Malerei nach Fotografie‹, München 1970, p. 13.

78 Naumann (1904), in: Form und Farbe, 1909, p. 123.

79 Wehler, 1973, pp. 134/135.

80 ›Die Jugend‹, 1905, Nr. 40, p. 772; ganzseitige Farblithographie, bez. unten rechts: 02 Zille d.

81 Dieser Eindruck ist vermutlich noch bekräftigt worden durch die äußere Form, in der das Material überkommen ist. Es existieren keineswegs von allen Platten Abzüge; wo solche vorhanden waren, waren es

in der Regel Kontaktabzüge, die nur zum Teil in Alben eingeklebt waren.

82 Vogel – Photographische Kunstlehre oder die künstlerischen Grundsätze der Lichtbildnerei, in: Hdb. d. Photographie IV, 4. Aufl., 1891, p. 11.

83 Matthies-Masuren im Vorwort zum Kat. der ›Internationalen Ausstellung Künstlerischer Photographien‹, Berlin 1905, p. 9.

84 Lichtwark, 1894, p. 8.

85 Fleischer/Hinz/Schipper/Mattausch und Wolbert in: Hofmann (Hrg.), 1974, pp. 17–26 und 34–55; Rautmann, 1974.

86 Goerke, 1894, p. 215.

87 Matthies-Masuren, 1898, p. 69. Die Hoffnung, »sich mit seinen Empfindungen eins zu fühlen«, enthüllt den ideologischen Kern von ›Kunstphotographie‹.

88 Stettiner, 1897 (unpag.).

89 Lichtwark, 1894, p. 17. Aus solchen Ratschlägen folgt der elitäre Affront gegen die ›Knips-Bilder‹: »Die wirklichen Amateure sollten Front machen gegen den noch immer geltenden Kodak-Lockruf: ›Sie ziehen an der Schnur, drücken auf den Knopf, das Übrige besorgen wir.‹«; Büchner, 1894, p. 331.

90 Hansen, 1913, pp. 12–21.

91 Goerke (Hrg.), 1910.

92 Albien, 1899, pp. 10–16.

93 Lichtwark, 1894, pp. 65 ss.

94 Vorwort im Kat. der ›Ausstellung für Künstlerische Photographie‹, Berlin 1899, pp. 8/9.

95 Kat. der ›Internationalen Ausstellung künstlerischer Photographien‹, Berlin 1905.

96 Kempe – Deutsche Photographie um die Jahrhundertwende, in: Pollack, 1962, pp. 250–279, Zitat p. 257; Neumann, 1966, p. 60; zur künstlerischen Photographie allgemein s.a. Brevern, Marilies v., 1971.

97 Hansen, 1913, pp. 81–93; Goerke (Hrg.), 1910, pp. 151–162.
98 Phot. Rundschau, 8/1894, p. 225; übernommen aus ›Phot. Work‹ vom 24. Nov. 1893.
99 Kirstein in: Evans, 1938, p. 189.
100 Gernsheim, 1955, p. 342; Jay, 1973.
101 Avedon (Hrg.), 1970.
102 Yoxall Jones, 1973, p. 27, fig. 4 und Abb. p. 79.
103 Kat. Ausst. ›From Today Painting is dead‹, London 1972, Nr. 807.
104 Riis bewirkte u. a. Sanierungsmaßnahmen in New York, Hine war maßgeblich am Erlaß von Kinderschutzgesetzen beteiligt; s. Pollack, 1962, pp. 294 bis 303; Doherty, 1974, pp. 11–14.
105 Neumann, 1966, p. 69.
106 Hier wird das von Benjamin aufgeworfene Problem der Montage berührt; s. dazu Wawrzyn, 1973, pp. 53–55 und 89–103.
107 Recht, 1930.
108 Evans, 1938; Doherty, 1974; Neumann spricht von den »im soziologischen Sinne photometrischen Arbeiten« der FSA in den 30er Jahren – s. 1966, p. 69.
109 Stelzer, 1966, p. 100.
110 Kahmen, 1973, p. 24.
111 Benjamin – Kleine Geschichte der Photographie, 1963, p. 81.
112 Benjamin – op. cit., 1963, p. 93; Recht, 1930, p. 18.
113 Dabei sparen wir uns die Auseinandersetzung mit allen selbsternannten Duzbrüdern des legendären ›Pinselheinrich‹.
114 Westheim, 1931, p. 162.
115 Adorno, 1971, p. 253.
116 Da es hier nicht um den Schutz des Öffentlichen Dienstes geht, ist Parteilichkeit nicht sofort mit Parteizugehörigkeit gleichzusetzen!
117 Benjamin – Das Kunstwerk im Zeitalter seiner technischen Reproduzierbarkeit, 1963, p. 24.

Abbildungsnachweis

1 Berlin Museum, Berlin (West)
2a Originalaufn. H. Zille
2b Originalaufn. H. Zille
2c Repro aus: Ostwald, 1929, p. 195.
3 Landesbildstelle Berlin (West), Nr. II, 10060
4 Repro aus: ›Die Jugend‹, 1904, p. 432.
5 Originalaufn. H. Zille
6 Repro aus: ›Die Jugend‹, 1905, p. 772.
7 Repro aus: ›Lustige Blätter‹, 18/1903, Nr. 4, p. 4.
Der Abdruck der Abbildungen 2c und 4 erfolgt mit freundlicher Genehmigung des Fackelträger-Verlages.

Katalog – Vorbemerkung

Im vorliegenden Katalog wird erstmals versucht, die nachgelassenen Zeugnisse von Heinrich Zilles photographischer Tätigkeit zu erfassen und in systematischer Gliederung überschaubar zu machen. Auf Schwierigkeiten und Unzulänglichkeiten dieses Versuchs sei hier in wenigen Bemerkungen verwiesen.

Der photographische Nachlaß von Heinrich Zille befindet sich – soweit bisher bekanntgeworden – in der Hauptsache im Besitz von Herrn Heinz Zille, Berlin-Gatow. Er besteht aus insgesamt 418 Glasnegativen, einigen Glaspositiven sowie einer Anzahl alter Kontaktabzüge, für die sich Negative nicht mehr nachweisen lassen. Die Menge der Zille-Photographien, von denen keine Negative mehr nachweisbar sind, kann vorerst nur annähernd auf 100 bis 120 Stück geschätzt werden. Genauere Angaben wären erst dann möglich, wenn alle Abzüge, die sich zum Teil in verschiedenen Alben verschiedener Besitzer befinden, darauf überprüft wären, ob sie von Heinrich Zille aufgenommen wurden, und wenn sie – wie das ganze Material – in einer wissenschaftlich exakten Weise inventarisiert wären.

Der Stand der wissenschaftlichen Bearbeitung des künstlerischen Nachlasses von Heinrich Zille kann beim besten Willen nicht als fortgeschritten bezeichnet werden – da ist noch fast alles zu tun. Bei solcher Sachlage darf es nicht verwundern, daß den Photos bisher die geringste Beachtung und Sorgfalt zugedacht wurde. Das hat überdies seinen besonderen Grund darin, daß Heinrich Zille selbst in der Photographie ein dienendes Medium sah und sie, was seine künstlerischen Ambitionen anging, ganz instrumental einsetzte. Die Erben und Nachfahren übernahmen offenbar diese Einschätzung und die Geschichte des öffentlichen Interesses an der historischen Entwicklung der Photographie gab ihnen darin über lange Zeit Recht. Deswegen ist jedoch nicht zu folgern, daß Zilles photographische Tätigkeit und die daraus hervorgegangenen Resultate gänzlich in Vergessenheit geraten wären und erst durch Zufall oder Forscherdrang wieder hätten entdeckt werden müssen. Spätestens seit Schliemanns Troja-Funden verheißt das Wort Entdeckung auch in der Kunstgeschichte Sensationelles. Es wird deshalb gern gebraucht, auch und gerade dann, wenn an einer Sache ihre Publizierbarkeit entdeckt wurde. Bezogen auf die hier vorgelegten Photographien heißt das, daß alle geheimnisumwitterten Fundberichte Legende sind; entdeckt wurden sie insofern, als Verleger und Autoren es der Mühe wert hielten, das Material für eine öffentliche Präsentation aufzubereiten. Mit diesem desillusionierenden Hinweis soll allerdings nicht gesagt sein, daß es an den präsentierten Photos selbst nichts mehr zu entdecken gäbe. Im Gegenteil, sie scheinen uns keineswegs nur als Dokumente für eine abgehoben abstrakte ›Geschichte der Photographie‹ von Bedeutung. Die Informationen zur Stadtgeschichte Berlins und zur Sozial- und Kulturgeschichte des Deutschen Kaiserreichs, die ihnen abgesehen werden können, sind – so meinen wir – viele Entdeckermühen wert. Um diese herauszufordern und zu erleichtern, haben wir den Katalog in neun thematisch gesonderte Abteilungen gegliedert und diesen jeweils erläuternde Hinweise vorangestellt. Wenn auch der derzeitige Überlieferungszustand des Materials in mancher Hinsicht nicht mehr als Schätzungen und Vermutungen gestattet, haben wir uns doch bemüht, in den einzelnen Abteilungen das bislang Gesicherte so genau wie möglich darzulegen. Die dort vorgetragenen Identifizierungen und Datierungen wurden weitgehend aus stadtgeschichtlichen und architekturhistorischen Quellen gewonnen. Besonders ergiebig waren dabei umfangreiche Adreßbuchvergleiche, die für den Zeitraum zwischen 1890 und 1914 überall da durchgeführt wurden, wo den Photos konkrete Anhaltspunkte zu entnehmen waren. Eine Reihe von Datierungen ergab sich auch aus Zeitangaben auf den graphischen Blättern

Zilles, für die photographische Aufnahmen als vorbereitendes Studienmaterial verwandt wurden. In den Abbildungsverzeichnissen sind Datierungen einzelner Aufnahmen nur dann vorgenommen, wenn sie auf eine der beschriebenen Weisen gesichert werden konnten.

Die Auswahl der Photographien und ihre Zuordnung zu den einzelnen Abteilungen ergab sich aus den Einsichten, die eine Beschäftigung mit dem gesamten Material uns ermöglichte. Sie ist – wie jede denkbare andere – willkürlich, versucht aber, einen möglichst zutreffenden Eindruck von Zilles Verhältnis zu und seiner Beschäftigung mit dem Medium Photographie zu geben. Dabei sollen die am Schluß der jeweiligen Abbildungsverzeichnisse angefügten Angaben über die dem Gegenstandsbereich zugeordneten, aber nicht abgebildeten Aufnahmen das angewandte Selektionsverfahren einsichtig und überprüfbar machen. Bei der Reproduktion der Photographien wurde durchgehend darauf geachtet, daß der vom Photographen im Sucher festgelegte Ausschnitt nicht verändert wurde. Beschnitten wurden nur vom Kassettenrahmen herrührende schwarze Ränder oder auch beim Entwickeln entstandene Klemmenabdrücke. Einzelnen Platten, deren Beschichtung schon stark oxydiert ist (z.B. Abb. 47 und 92), wurde in sorgfältiger Labor-

1. Familie und privater Lebensbereich
Abb. 1–25

arbeit von Gunther Sander das bestmögliche Resultat abgewonnen.

Dank für freundliche Unterstützung schulde ich insbesondere Herrn Heinz Zille und seiner Frau für den freizügig gewährten Zugang zu allen für diese Arbeit wichtigen Materialien; weiterhin Frau Professor Dr. Irmgard Wirth und Frau Preuß vom Berlin Museum in Berlin (West) und Frau Renate Altner vom Märkischen Museum in Berlin (DDR). Dem Verlag, vor allem Herrn Lothar Schirmer, danke ich für angenehme und einsichtsvolle Zusammenarbeit und Gesine Asmus für aufmerksames Mitdenken und geduldige Hilfe bei der Fertigstellung des Manuskriptes.

Berlin, August 1975   W. Ranke

Am 10.1.1858 wurde Heinrich Zille in Radeburg in Sachsen geboren.[1] Mit seinen Eltern kam er 1867 nach Berlin, ging dort zur Schule und begann dann im April 1872 eine Lehre als Lithograph. Im gleichen Jahr erwarben die Eltern am Stadtrand, in Rummelsburg, ein Grundstück, auf dem sie sich ein Einfamilienhaus erbauten.[2] Seit 1873 bis zu ihrem Tode lebten sie mit ihrer Tochter Fanny in diesem bescheidenen Eigenheim mit Kleintierstall und Garten. Während seiner Lehrzeit und der ersten Gesellenjahre in verschiedenen Berliner Betrieben wohnte auch Heinrich Zille hier. Nach seiner Hochzeit mit der Lehrerstochter Hulda Frieske bezog er dann ganz in der Nähe des elterlichen Hauses seine erste eigene Wohnung. Auch als die sich vergrößernde Familie – es wurden nacheinander die Kinder Margarete, Hans und Walter geboren[3] – mehr Platz brauchte, wurden Wohnungen in der engeren Umgebung bezogen.[4]

Hier in Boxhagen-Rummelsburg, einem der östlichen Vororte Berlins, der nicht unter die Villengegenden zu rechnen ist, der vielmehr schon um 1890 von den ersten Industrieniederlassungen erreicht wurde,[5] entstanden – soweit wir sehen – die ersten Photographien Heinrich Zilles. Es sind Aufnahmen von Familienangehörigen, zumeist vor dem Hintergrund der bescheidenen Idyllik des elterlichen

45

1 Gartens. Am eindrucksvollsten ist darunter das Doppelporträt seiner Eltern. Die beiden Alten im dunklen Sonntagsstaat sitzen da jeder für sich, ernst aber unbefangen auf einer Bank vor der hellen Wand ihres Hauses. Der Photograph hat nichts an ihnen zurechtgerückt, hat nicht versucht, die beiden als das »liebe Elternpaar« ins Bild zu setzen. Aber gerade seine respektvolle Zurückhaltung vor der eindringlichen Selbstbewußtheit dieser erfahrenen, abgearbeiteten Menschen hat es ihm erlaubt, eine außergewöhnliche Photographie aufzunehmen.

Bei weitem nicht immer sind ihm in der Anfangszeit so aussagekräftige Bilder gelungen. Die sehr frühe Aufnahme von Töchterchen Grete auf dem Gartenstuhl ist konventionell im pompösen Arrangement und zudem noch

4 mißglückt in der Fixierung des Ausschnittes.[6] Nur hin und wieder läßt sich erkennen, daß Zille mit der Kamera anders umzugehen gedachte, als die photographische Geschmacksbildung der Gründerzeit jedem Amateur nahe-

2 legte. Die Aufnahme von Schuppen und Pumpe hinterm Haus der Eltern gibt dafür ein Beispiel. Sie zeigt nichts Besonderes, kein rustikal pittoreskes Stilleben, wie es dem Kunstfreund um 1890 allenfalls noch bildwürdig erschienen wäre, sondern eigentlich nur einen ganz beiläufigen Blick hinters Haus.

Doch erscheint das Gesehene auf der Photographie keineswegs wie zufällig wahrgenommen – im Gegenteil, es ist sorgfältig ins Bildfeld der Kamera komponiert: links die Pumpe, rechts der Pfosten des Schuppendaches, dazwischen ein leerer festgetretener Platz; die divergierenden Schrägen vermitteln nach außen zu den Senkrechten und weiten den Raum um die leere Mitte. Photographiert ist ein Arbeitsplatz, ein wichtiger Ort aus dem Lebensbereich der Eltern.[7]

Seit 1877 hatte Heinrich Zille eine feste Stelle bei der »Photographischen Gesellschaft« in Berlin. Als diese Anfang der neunziger Jahre ihren Betrieb in das eben erst entstehende Villenviertel Westend verlegte, mußte auch Zille sich eine Wohnung in der Nähe seines neuen Arbeitsplatzes suchen. Er fand sie in einem Mietshaus am weit weniger vornehmen Westrand von Charlottenburg, in der Sophie Charlotten-Straße 88, IV. Stock. Dort zog er 5 mit seiner inzwischen auf fünf Köpfe angewachsenen Familie am 1.9.1892 ein und wohnte darin bis zu seinem Tode.[8]

In der Charlottenburger Wohnung entstanden zwischen 1892 und etwa 1910 zahlreiche Familienbilder, die ganz offensichtlich »fürs Album« geknipst wurden. Da versammelt sich die Familie mit der Großmutter und dem 6 stehend hervorragenden Hausherrn ums Näh-

46

tischchen, oder es wird, vermutlich zur Ein-schulung des Jüngsten, eine brüderliche Szene unter den Augen der Mutter gestellt. Im Garten der Eltern erscheinen die Porträtierten zwar hemdsärmelig unprätentiös, doch zu Hause wird viel von kleinbürgerlicher Wohl-anständigkeit und Blitzsauberkeit ins arran-gierte und vom Magnesiumlicht erhellte Bild gebracht.

Wird die Kamera nicht mehr zur Dokumen-tation ordentlicher Häuslichkeit eingesetzt, erfaßt sie gleich weniger Bedeutsames in da-mals höchst ungewöhnlichen Ansichten: ein Fensterbrett-Stilleben, durchs Küchenfenster gesehen und in Nahaufnahme festgehalten, oder Putzgerüste im Hinterhof, als graphi-sches Liniengerüst erkannt und photogra-phiert.

Nach vorne raus wird die damalige Stadtrand-lage der Wohnung zu weitem Ausblick ge-nutzt. Aus der Höhe des vierten Stockwerks erfaßt das Objektiv der Kamera ein ausge-dehntes Areal von Brachland – Schauplatz mancher Photoexkursionen Heinrich Zilles.[9] Die Situation vor der Jahrhundertwende be-schreibt Hans Zille aus eigener Erinnerung: »Wir müssen zurückschauen in die Zeit vor 1900. Groß und hell lagen die Zimmer da. Eine beschauliche Ruhe war in der Straße. Die Sophie-Charlotten-Straße war noch lange

nicht ausgebaut. Von den Fenstern der Woh-nung schweifte der Blick ins Freie. Auf der anderen Straßenseite war beackerter Sand-boden, in der Mitte ein großer Platz zum Trocknen der Wäsche, um ihn herum Lauben. Hinter der Ringbahn dehnte sich braches Land, zum Teil mit niedrigen Kiefern bestan-den, und dahinter bildeten die ersten Bäume des Grunewalds und die Ausläufer der Villen-kolonie Westend den Abschluß. Aus den Bäumen sahen die Dächer des Gebäudes der Photographischen Gesellschaft und des Pen-sionats Tanneck hervor. Zur linken Hand hatte man den ungepflegten Park um den Lietzensee mit seinem schönen Baumbestand. Am Ende der Straße stand das Schützenhaus, bei dem alljährlich der große Budenbetrieb aufgebaut wurde«.[10]

Von seiner Tochter wird Heinrich Zille als großer Naturliebhaber geschildert, der nicht nur mit dem befreundeten Bildhauer August Gaul in die nahe Jungfernheide zog, um nach seltenen Exemplaren für seine Schmetterlings-sammlung zu fahnden, sondern der auch als Familienvater die Sonntage dazu nutzte, mit Frau und Kindern bildende und erholsame Ausflüge in die Umgebung zu unternehmen.[11] Verständlich, daß bei solchen Gelegenheiten die Kamera mitgenommen und wieder zur Dokumentation des Familienlebens eingesetzt

47

wurde. Dabei ging es aber schon wesentlich zwangloser zu als zu Hause, und daß Heinrich Zille am Konterfei sorgfältig gestellter Gruppen vor Naturkulisse nichts gelegen war, zeigen nicht nur die im Park von Sanssouci oder auf der Landstraße aufgenommenen Photographien, sondern vor allem die Schnappschüsse von seinen Söhnen, insbesondere der vom pinkelnden Walter.

13
18

19, 20

Ausflüge und Reisen brachten natürlich auch die Verlockung mit sich, »schöne Photographien« im Sinne der damals geltenden Normen der Kunstphotographie herzustellen. Aufs Ganze gesehen scheint Heinrich Zille nicht allzuviel Mühe an diese photographische Konvention gewandt zu haben. Immerhin beweist aber die Aufnahme vom lichtüberfluteten Bauernhaus aus tiefem Baumschatten heraus gesehen, vom Sandweg auf eine Baumgruppe zuführend und vom Lichterspiel des Laubwerks auf einer Hauswand, daß er mit einschlägigen impressionistischen Sehweisen vertraut war und die Kamera entsprechend zu handhaben wußte.[12]

14

12

15

Dem familiären und privaten Lebensbereich sind schließlich noch die Sommer- bzw. Wintervergnügen des Badens und Eislaufens zuzurechnen. Auch sie hat Zille des Photographierens wert gehalten. Seine Aufnahmen aus der Charlottenburger Badeanstalt im Koch-

22–24

see[13] sind dabei nicht allein als Zeugnisse privater Badelust anzusehen, sie dokumentieren gleichzeitig Zilles sozialhygienisches Engagement, mit dem er sich für eine Freigabe des Badens an den See- und Flußufern in der Umgebung Berlins einsetzte.[14]

Anmerkungen

1 Chronologische Datenzusammenstellungen zur Biographie Heinrich Zilles finden sich in: Flügge, 1955, pp. 215–218; Katalog Ausst. Akad. d. Künste, Berlin, 1958, pp. 72–76; Jannasch, 1960, pp. 121–127; Luft, 1967, pp. 166–168; Flügge, 1974, pp. 93–95. Soweit nicht anders nachgewiesen, sind im Folgenden alle biographischen Daten den angeführten Zusammenstellungen entnommen.

2 Boxhagen-Rummelsburg, Fischerstr. 8.

3 Geburtsdaten der Kinder: Margarete, 4.10.1884; Hans, 26. 2.1888; Walter, 9.1.1891.

4 Wohnsitze der Familie Heinrich Zille in Rummelsburg: ab 1883 – Kellerwohnung am Grenzweg; ab 1887 – Türrschmidtstr.; ab Ende 1890 bis August 1892 – Mozartplatz; s. Flügge, 1955, pp. 55/56 und Flügge, 1974, p. 19.

5 Lange, Annemarie, 1967, pp. 67, 89, 112.

6 Die Aufnahme zeigt Margarete Zille im Alter von etwa drei Jahren; sie dürfte demnach um 1887/88 entstanden sein.

7 Abb. 146 zeigt, daß Zille an gleicher Stelle noch anderes Abgelegte und Abgelegene bildwürdig fand.

8 Zur Wohnung gehört der auf Abb. 5 sichtbare Eckbalkon und die fünf nach rechts folgenden Fenster. Nach Heinrich Zilles Tod, 1929, wurde die Wohnung von den Söhnen Hans und später Walter mit ihren Familien bewohnt.

9 s. die Abb. der Abteilungen 6–9.

10 Ostwald/Hans Zille – Zille's Hausschatz, 1931, p. 21.

11 Flügge, 1955, pp. 59–66.

12 Mit den Ansprüchen und Geschmacksnormen der künstlerischen Photographie wurde Heinrich Zille sicher im Rahmen seiner beruflichen Tätigkeit im Reproduktionsgewerbe konfrontiert. Mit Landschaftsstudien hatte sich Zille besonders in seiner Frühzeit als Zeichner, in den achtziger Jahren, ausgiebig befaßt; s. Ostwald/Hans Zille – Zille's Hausschatz, 1931, pp. 367–378.

13 Die Görgs'sche Badeanstalt im Kochsee war schon 1886 mit Unterstützung der Stadtgemeinde errichtet worden. Sie befand sich am Nordende der Sophie Charlotten-Straße in einem heute nicht mehr vorhandenen Teil der alten Spree, hinter dem Schloßpark; s. Gundlach, 1905, Bd. I, p. 606, und Berl. Adressbücher.

14 Das freie Baden außerhalb von zugelassenen Badeanstalten war verboten und wurde polizeilich geahndet. Erst seit dem Sommer 1907 fanden sich die Landratsämter zu einer Freigabe bestimmter Uferabschnitte zum öffentlichen Baden bereit; s. Lange, Annemarie, 1967, pp. 551–554 und Abb. vor p. 513. Zille hat zahlreiche Zeichnungen zum Thema ›Freibad‹ mit einem eigenen Vorwort in dem Band ›Rund ums Freibad‹, Berlin, 1926, vorgelegt; s. dazu auch Flügge, 1955, pp. 104 u. 106.

Abbildungen

Familienbilder aus Rummelsburg

1 Heinrich Zilles Eltern vor ihrem Haus in Rummelsburg – ca. 1890 (12 × 16)

2 Pumpe und Schuppen hinterm Haus der Eltern (9 × 12)

3 Heinrich Zilles Eltern und ihre Enkel Hans und Walter – ca. 1900 (9 × 12)

4 Margarete Zille – ca. 1887/88 (12 × 16)

Wohnung in Charlottenburg

5 Charlottenburg, Sophie Charlotten-Straße 88 (9 × 12)

6 Familie Heinrich Zille mit Großmutter Frieske in der Charlottenburger Wohnung – ca. 1898 (9 × 12)

7 Hans und Walter Zille in der Charlottenburger Wohnung (zu Walters erstem Schultag?) – ca. 1897 (9 × 12)

8 Stilleben – Blick aus dem Küchenfenster der Charlottenburger Wohnung (9 × 12)

9 Putzgerüste im Hof des Charlottenburger Wohnhauses (9 × 12)

10 Blick aus dem Fenster der Charlottenburger Wohnung nach Südwesten – ca. 1900 (12 × 16)
11 Charlottenburg, Sophie Charlotten-Str. – vor Nr. 88 (9 × 12)

Ausflüge

12 Baumgruppe (9 × 12)
13 Familienausflug (v. l. Heinrich Zille, ein Gast, Hulda Z., Walter Z.) – ca. 1901/02 (9 × 12)
14 Bauernhaus (9 × 12)
15 Landhaus mit altem Baum (9 × 12)
16 Heinrich Zille mit Sohn Walter – ca. 1900 (9 × 12)
17 Zitadelle in Spandau (9 × 12)
18 Familie Zille in Sanssouci – ca. 1901/02 (9 × 12)
19 Hans und Walter Zille unterwegs – ca. 1901/02 (9 × 12)
20 Pinkelnder Knabe (Walter Zille) – ca. 1901/02 (9 × 12)
21 Familie Zille auf dem Heimweg (9 × 12)

Freibad und Eisbahn

22 Heinrich Zille mit seinen Söhnen im Freibad Charlottenburg – Kochsee (2. v. l. Hans;

4. v. l. Heinrich; 6. v. l. Walter) – ca. 1901 (9 × 12)
23 Freibad, Charlottenburg – Kochsee (9 × 12)
24 – ca. 1901 (9 × 12)
25 Eisbahn in der Sophie Charlotten-Straße – ca. 1901/02 (9 × 12)

Zu dieser Abteilung sind außer den abgebildeten Photographien noch insgesamt 115 Platten (sowie 1 Glaspositiv) vorhanden. Davon entfallen auf die Themenbereiche:

Rummelsburg 20 (9 × 12) / 3 (12 × 16)
Chlbg., 20 (9 × 12) / 8 (12 × 16) /
Wohnung u. 1 (16,5 × 21,5)
Umgebung 10 (13 × 18)
Ausflüge 24 (9 × 12) / 2 (12 × 16) /
Landschaften 1 Positiv (9 × 12)
Freibad 11 (9 × 12)
Eisbahn 2 (9 × 12)
Porträt 7 (9 × 12) / 4 (12 × 16)
2 (13 × 18)

2. Künstlerkollegen und Ateliers
Abb. 26–46

Angeregt von einem alten Zeichenlehrer entschied sich Heinrich Zille 1872 – zunächst gegen den Willen seines Vaters – den Beruf des Lithographen zu erlernen.[1] Noch während der Lehrzeit begann er, sein zeichnerisches Talent in Abendkursen an der ›Königlichen Kunstschule zu Berlin‹ auszubilden. Dort begegnete er als Lehrern u. a. Theodor Hosemann und Anton v. Werner.[2] In der Folgezeit wird er begonnen haben, auch kollegiale Verbindungen zum Berliner Kunstbetrieb aufzunehmen. Um die Jahrhundertwende war er jedenfalls mit zahlreichen Berliner Künstlern bekannt, hatte schon 1897 den Bildhauer Kraus zu einer Porträt-Statuette angeregt,[3] und stellte 1901/02 auf der ersten ›Schwarz-weiß-Ausstellung‹ der Berliner Secession erstmals eigene Arbeiten aus.[4]

Die Überwindung der durch den Gründerkrach ausgelösten wirtschaftlichen Rezession in den neunziger Jahren kam auch den Künstlern zugute. In Berlin gab es damals aufwendige Staatsaufträge, die – bei der wilhelminischen Vorliebe für dauerhafte Hohenzollern-Repräsentation (Nationaldenkmal für Wilhelm I., Siegesallee) – vornehmlich Bildhauern zu Beschäftigung und Einkommen verhalfen. Doch auch den Malern ging es nicht schlecht, da das bürgerlich private Repräsentationsbedürfnis dem öffentlichen kaum nachstehen wollte.

In solcher Zeit ließ sich gut feiern – das galt zumindest für alle, die am Zuwachs bürgerlichen Wohlstandes partizipierten, und für die Künstler allemal. Wie es damals bei Künstlerfesten herging, hat uns Zilles Kamera überliefert. Die Photographien stammen von einem Fest, das am 17. Dezember 1899 im Atelier des Malers Walter Meyer-Lüben stattfand. Die Feiernden gehören mindestens zum Teil der ›Kegelgesellschaft der Reinhold Begas-Schüler‹ an.[5] Zille hat die aufgeräumte Festgemeinde aufgenommen, hat den parodistischen Höhepunkt des Mummenschanzes festgehalten und hat es auch nicht versäumt, sich selbst einmal etwas bemüht beiläufig mit ins Bild zu bringen. Das Resultat sind private Erinnerungsphotos, die für uns – die wir nicht dabei gewesen sind – hermetisch bleiben, und die allenfalls zu allgemeinen kulturgeschichtlichen Betrachtungen Anlaß geben.

Ganz Ähnliches gilt für die beiden Aufnahmen vom Kegelabend, die in ihrer »lebendig« arrangierten Gruppenkomposition etwas von zwanghafter Vereinsseligkeit ausstrahlen. Wohl über seinen Freund August Kraus hatte Zille spätestens seit 1897 Zugang zur ›Kegelgesellschaft der Reinhold Begas-Schüler‹,[6] und ihm, der sich damals noch als künstlerisch

(Randnummern: 26–28, 27, 29, 30)

51

dilettierenden Handwerker begriff, mag diese Verbindung so wichtig gewesen sein, daß er sie für sich und andere photographisch belegte. Doch was die dabei herausgekommenen Photographien mitteilen, sagt vornehmlich etwas aus über das Verhalten eines Kollektivs zur Kamera; über das, was auf diesen Künstlerkegelabenden tatsächlich vorging, erinnert Zille ganz anderes: »Das war dann eine große Geselligkeit und gründliche Unterhaltung. Oft mußten die Kegler drei-, viermal gerufen werden, wenn sie ihre Kugel schieben sollten«.[7]

Etwas Gestelltes, Nachgeahmtes haftet auch den Photographien an, die Zille in den Ateliers befreundeter Bildhauer aufgenommen hat. Von angespannter Arbeitsatmosphäre oder bohèmehaftem laisser-aller ist wenig zu spüren. Am deutlichsten wird das an der Inszenierung: August Kraus modelliert die Büste des Wedigo von Plotho nach Heinrich Zille. Nicht nur, daß Kraus die Arbeit nach dem Modell mit Augen und Füßen zu verdeutlichen sucht, links ist auch noch ein erster Entwurf der Büste und rechts gleich zweimal die Hauptfigur der Askaniergruppe für die Siegesallee ins Bild gerückt.[8] Der bedeutsame Kontext, in dem Zilles Kopf künstlerische Ver-

wendung finden sollte, ist gewissermaßen modellhaft aufgebaut.[9]

Weniger beziehungsreich, aber ähnlich posierend stellten sich Fritz Klimsch[10] und Walter Schmarje[11] als Bildhauer dar. Nur der eng befreundete August Gaul läßt sich lässig während einer Zigarettenpause aufnehmen, ohne sich dabei in eine bedeutungsschwere Beziehung zu seinem Werk zu setzen.[12]

Die von Zille photographierten Einblicke in Künstlerateliers offenbaren nichts Außergewöhnliches, hätte er nicht sich bietende Gelegenheit genutzt, dort angetroffene Modelle zu bewegen, sich seiner Kamera zu stellen. Dadurch gewinnen eine Reihe dieser Aufnahmen nicht nur an reizvoller Anschaulichkeit, sie werden auch zu beachtenswerten Dokumenten für eine sich erst um 1900 im Berliner Kunstbetrieb durchsetzende Studienmöglichkeit – den weiblichen Vollakt. Zille selbst berichtet von der prüden Zurückhaltung der Akademie, wo nur männliche Modelle zum Vollakt stehen durften und allenfalls in den Meisterklassen weibliche Modelle für Bruststücke standen.[13] Es war privater Initiative überlassen, hier um 1900 Abhilfe zu schaffen. Zille lieferte dazu einen selbständigen Beitrag, als er gleich nach der Jahrhundertwende zusammen mit Künstlerkollegen einen Kursus für Aktzeichnen organisierte, in dem die für den einzelnen unerschwinglichen Modelle per Umlage bezahlt wurden.[14] Die Photographien 45 und 46 wurden vermutlich während einer solchen Abendaktsitzung aufgenommen. Die beengenden Raum- und Lichtverhältnisse wie auch die bunte Vielfalt der Sitzgelegenheiten lassen das Improvisierte der Institution erkennen.

Ganz anders, mit Bedacht arrangiert, sind die Aufnahmen dort, wo sich in der professionellen Umgebung eines Privatateliers Möglichkeiten bieten, eingehender mit dem Modell zu arbeiten. Zwar bleibt Zille auch hier im Konventionellen, wenn er in Gauls Atelier das Modell Posen einnehmen läßt, die sich einem Bildhauer geradezu als Übungsaufgaben empfehlen. Doch bevor er seine Platten den nutzbringenden Seiten des Modellstudiums widmet, leistet er sich so etwas wie eine photographische Ouverture. In drei Aufnahmen, beginnend mit einer Rückenstudie vor dem Spiegel, läßt er das immer mehr enthüllte Modell langsam in das nüchterne Stadium professioneller Nacktheit eintreten. Und gerade in diesen Phasen der Enthüllung, in denen das Modell kaum Notiz von dem starrenden Kamera-Auge zu nehmen scheint, ist das meiste an weiblicher Schönheit und erotischem Reiz festgehalten.

Augenzwinkernd – vielleicht sogar ein wenig spottend – verfährt der Photograph Zille bei August Heer.[15] Hier stellt er das Modell so zwischen Grabskulptur und Rohrschlange des Atelierofens, daß es in figurale Konkurrenz zur sentimental gebeugten Frauengestalt im Hintergrund tritt. Mit parallelen Arm- und Kopfhaltungen setzt er das posierende Aktmodell ins kalkulierte Verhältnis zur gipsernen Gewandfigur und wirft damit unübersehbar die Frage auf, wem oder was hier der Vorzug zu geben sei?!

Anmerkungen

1 Flügge, 1955, pp. 31–38; Flügge, 1974, pp. 7–12. In den Berl. Adressbüchern wird Zille bis 1907 als Lithograph aufgeführt. Erst nach seiner Entlassung von der ›Photographischen Gesellschaft‹ liest man: Heinrich Zille – Zeichner.

2 Zille, Walter, 1949, pp. 7/8; Heilborn, A. – Heinrich Zille, Berlin s. d., pp. 13–16.

3 Ein Exemplar der Statuette (gefärbter Gips, H. 51 cm) befindet sich im Besitz von Heinz Zille, Berlin; ein weiteres besitzt das Märkische Museum, Berlin (DDR), Inv. Nr. VII 60/729 y; Abb. in: Flügge, 1974, p. 24.

4 Flügge, 1955, pp. 77–82; Katalog der 4. Kunstausstellung der Berliner Secession – Zeichnende Künste, Berlin 1901/02, p. 47.

5 Karteikarte in der Landesbildstelle, Berlin; die Daten stammen von der Beschriftung eines Originalabzuges im Besitz von Heinz Zille.

6 Reproduktion einer Postkarte von Heinrich Zille an

Frau Kraus, Landesbildstelle, Berlin; Briefe Zilles an A. Kraus, 1901–03, in: Ostwald/Hans Zille, 1930, pp. 280, 286, 289/90, 298.

7 Ostwald, 1929, p. 406. Die Äußerung von Heinrich Zille bezieht sich zwar auf Kegelabende mit der Berliner Secession, doch auch wenn die Aufnahmen von früheren Anlässen stammten, dürfte die Situation kaum anders gewesen sein.

8 Das 1898 in Auftrag gegebene Ensemble umfaßte den Askanier Heinrich das Kind (1319–20) und die Büsten des Wratislaw IV. von Pommern und des Ritters Wedigo von Plotho. Die Enthüllung fand am 22. 3. 1900 statt; s. Berl. Adressbuch 1901, Teil II, p. 192.

9 Zille Biographen deuten an, daß die Verwendung von Zilles Physiognomie für einen Kopf in der Siegesallee als eine Art subversiver Ironie verstanden wurde; s. Nagel, O., 1973, pp. 80/81; Flügge, 1974, pp. 24/25.

10 Um 1900 hatte Fr. Klimsch sein Atelier in Charlottenburg, Schillerstr. 21. Die auf dem Photo abgebildete Gruppe ›Küssende‹ war 1901 abgeschlossen. Auf unserer Aufnahme erscheint sie jedoch in einer vom Endzustand leicht abweichenden Fassung, so daß eine Datierung der Aufnahme in das Jahr 1900 nahegelegt wird; s. Schulz III, Taf. 26; Bode, 1924, Taf. 4.

11 Schmarjes Atelier befand sich um 1900 in Tiergarten, Siegmundshof 11; die Gruppe ›Faun und Nymphe‹ ist abgeb. in: Schulz III, Taf. 40.

12 Der Tierbildhauer August Gaul arbeitete 1898 ebenfalls in Tiergarten, Siegmundshof 11; später hat er Ateliers in Wilmersdorf – 1902/03 Uhlandstr. 155 u. 156; 1903/04 Westfälische Str. 3. Die hier abgebildeten Photos sind wahrscheinlich zwischen 1900 und 1903 entstanden.

13 Ostwald, 1929, pp. 96–98.

14 Ostwald, 1929, pp. 410–412.

15 Heers Atelier befand sich 1898 in Wilmersdorf, Uhlandstr. 81/82; Die Figur auf Abb. 43 u. 44 ist das Modell zur Marmorfigur ›Am Grabe‹ von 1899; s. Schulz II, Taf. 11 r.

Abbildungen

Künstlerfeste

26 Atelierfest bei dem Maler Walter Meyer-Lüben, am 17. 12. 1899. (›Kegelgesellschaft der Reinhold Begas-Schüler‹; Abb. 27 – v. L.: Heinrich Zille, Bildhauer Nikolaus Friedrich, Bildhauer August Heer). (13 × 18)

28 (13 × 18)

29 Kegelabend – vermutlich die (13 × 18)

30 ›Kegelgesellschaft der Reinhold Begas-Schüler‹ – ca. 1900 (13 × 18)

Künstler im Atelier

31 Fritz Klimsch in seinem Atelier – ca. 1900 (9 × 12)

32 August Kraus in seinem Atelier bei der Arbeit an der Büste des Wedigo von Plotho – 1899 (9 × 12)

33 Walter Schmarje in seinem Atelier – ca. 1900 (9 × 12)

34 August Gaul in seinem Atelier (1. sitzend Gaul) – ca. 1900/03 (9 × 12)

35 Atelier-Stilleben bei A. Gaul –
ca. 1900/03 (9 × 12)

Modelle

36 Aktstudien im Atelier von (9 × 12)
August Gaul – ca. 1900/03 (9 × 12)
(9 × 12)
(9 × 12)
(9 × 12)
41 (9 × 12)
42 Aktstudie – ca. 1900 (16,8 × 23,6)
43 Aktstudien im Atelier von
August Heer – ca. 1900 (9 × 12)
44 (9 × 12)
45 ›Abendakt‹ – ca. 1900/02 (9 × 12)
46 (9 × 12)

Zu dieser Abteilung sind außer den abgebildeten Photographien noch insgesamt 46 Platten
(sowie 2 Glaspositive) vorhanden. Davon entfallen auf die Themenbereiche:

Künstlerfeste 1 (9 × 12) / 5 (13 × 18) /
2 Posit.
Künstler im
Atelier 9 (9 × 12)
Modelle 7 (9 × 12)
Skulptur 2 (9 × 12) / 21 (13 × 18)
1 (18 × 21)

Der Krögel liegt in einem Gebiet, das zum
Kernbereich der ältesten Ansiedlung am nörd-
lichen Spreeufer gehörte.[1] Der Name bezeichnet in der Hauptsache eine Stichstraße, die
vom Molkenmarkt östlich entlang der alten
Stadtvogtei zur Spree verlief. Dazu gehörte
eine Reihe von Höfen mit verschachtelten
Wohnungen, Werkstätten und Remisen, wie
sie sich im Berliner Altstadtgebiet noch häufiger fanden und wie sie auch vom Gängeviertel
in Hamburg oder von den Wohnhöfen Lü-
becks her bekannt sind.[2] Der alte, naturwüch-
sig agglomerierte Baubestand bot miserable
Wohnverhältnisse,[3] doch dem von außen
Kommenden mochte mancher Hof und Winkel voll pittoresker Reize stecken.[4]

»Der Krögel ist düsterstes Berlin, alters-
grauestes, pittoreskestes und ungezählte Male
geschildertes«, schrieb Adolf Heilborn 1925.[5]
Es wundert daher nicht, daß er schon um 1900
ein beliebtes Objekt der Berliner Photographen
und Ansichtskartenproduzenten wurde.[6] Auch
einige von Zilles Photographien bezeugen,
daß er sich den malerischen Verlockungen
dieses Stücks ›Alt-Berlin‹ nicht ganz entziehen 54
konnte. Die meisten seiner Aufnahmen zeigen
jedoch eindrucksvoll, wie er sich nicht vom
Gegenlicht hat blenden lassen, sondern in
dokumentarischer Nüchternheit den Fraß des

Verfalls und der Miserabilität an Mauern und Türgewänden aufspürt und festhält. Dabei geht er mit einer Systematik zu Werke, die deshalb erstaunlich ist, weil sie sich Möglichkeiten zunutze macht, die damals noch keineswegs zu den technischen Selbstverständlichkeiten des Mediums zählten. Der Gegenstand wird nicht in seiner vorab bestimmten, interessantesten oder malerischsten Ansicht aufgesucht und fixiert, sondern vom Photographen mit der Kamera förmlich umstellt und eingekreist. Die aus sieben Aufnahmen bestehende, aus einer Toreinfahrt photographierte Abwicklung des »Panoramas« der Krögelgasse macht dies anschaulich. Hier erscheint die Photographie nicht als das Kondensat einer künstlerischen Realitätserfahrung, sondern als technisch hergestelltes Abbild eines Einzelaspektes von Wirklichkeit aus einer Reihe von vielen anderen.

47–52

56, 57
58–60
61–63

Entsprechend verfährt Zille auch bei Aufnahmen von Haustüren und -eingängen, wo er sich wieder in mehreren Ansätzen mit der Kamera an die Realität herantastet und darauf verzichtet, die Autonomie des anschauenden Individuums durch Selektionsentscheidungen zu behaupten und gleichzeitig einzuschränken. Gerade dieser Verzicht ermöglicht es ihm aber, überzeugend die Bedingungen darzule-

gen, unter denen Menschen im Krögel wohnen und arbeiten mußten.[7]

Das photographische Verfahren, Wirklichkeit in einer Serie von Einzelaspekten zu erfassen, beschränkt sich nicht auf die technischen Möglichkeiten des Panoramaschwenks vor gleichbleibendem Gegenstand. Das Aufnehmen von Benachbartem, Ähnlichem, Zugehörigem bewirkt ebenso, daß die vereinzelte Ansicht nicht leichthin für ein Bild des Ganzen genommen wird. In diesem Sinne hat Zille auch in andere Höfe des alten Berlins geschaut, und die dabei aufgenommenen Photographien belegen, daß nicht allein im Krögel miserable 64– Wohnverhältnisse herrschten.

Zwei Hinweise ermöglichen uns, den Zeitraum einzugrenzen, in dem Zille sich photographisch mit diesem Gegenstandsbereich auseinandersetzte: die auf S. 22 besprochene und abgebildete Zeichnung von 1891, der eine der Krögelaufnahmen zugrunde liegt, erlaubt es, den Beginn der Studien auf ca. 1890 zu datieren; eine Notiz im Innendeckel einer alten Plattenpackung besagt, daß er 1902 nocheinmal in die Gegend früher Photoexkursionen zurückgekehrt ist.[8]

Anmerkungen

1 Baedeker – Berlin und Umgebung, 1927, p. 149; Brendicke, H. – Führer auf der Wanderung durch Alt-Berlin – Kölln, Berlin, 1918, pp. 45/46.

2 In Berlin z. B. ›Spindlers Hof‹, ›Raules Hof‹, ›Jüdenhof‹, ›Andreashof‹ etc.

3 Kurt Pomplun schreibt in seinen Anmerkungen zur Neuausg. von A. Heilborns ›Reise nach Berlin‹, Berlin 1966, p. 35: »Der Abbruch dieses ersten ›Sanierungsgebietes‹ unserer Stadt war schon 1901 beschlossen worden, erfolgte aber erst im Jahre 1935, …«.

4 Brendicke – loc. cit.: »Heut erblickt das Auge ein Gewirr altertümlicher, verfallener Bauten, das Entzücken des Malers und des Freundes von Alt-Berlin.«

5 Heilborn, A. – op. cit., p. 29.

6 Im Besitz von Heinz Zille und in der Photo- und Ansichtskartensammlung der Berlin-Abteilung der Amerika-Gedenk-Bibliothek befinden sich eine Reihe früher Ansichtskarten vom Krögel; s. auch Aufnahmen von Waldemar Titzenthaler in der Landesbildstelle Berlin und in: Terveen, Fr. (Hrsg.) – Berlin in Photographien des 19. Jhs., Berlin 1968, pp. 14, 22, 23.

7 1918 schreibt Brendicke – op. cit., p. 45: »Jetzt befinden sich im Krögel nur noch wenige Werkstätten und Betriebe. Bis vor zwei Jahren war jedoch noch alles bewohnt, und zwar von Mietern, die mehr als 40 bis 50 Jahre hier gewohnt hatten.«

8 Die Notiz befindet sich im Deckel eines Pappkartons für ›Dr. Schleussner's Gelatine-Emulsionsplatten‹, Format 9 × 12; sie ist von Zilles Hand und lautet: »Krögel 1902 u. Gauls Atelier westphälische Str: [Klimsch, gestrichen]«. Der Karton diente bis heute zur Aufbewahrung von Platten.

Abbildungen

4. Berlin – Straßen und Straßenszenen
Abb. 68–120

Zu dieser Abteilung sind außer den abgebildeten Photographien noch insgesamt 4 Platten
vorhanden. Davon entfallen auf die Themenbereiche:
Krögelhof   2 (12 × 16)/1 (13 × 18)
Krögelgasse 1 (9 × 12)

4. Berlin – Straßen und Straßenszenen
Abb. 68–120.

Da der Zeichner Heinrich Zille zu Recht als
der Berichterstatter von Vorgängen und Zuständen aus den Altstadtbezirken von Berlin
gilt, liegt es nahe zu erwarten, daß er im gleichen Gebiet – wie schon im Krögel – ebenfalls
ausgiebige photographische Beobachtungen
angestellt habe. Diese Annahme ließe sich jedoch kaum erhärten, wenn sie sich nur auf den
überkommenen Bestand an Glasnegativen
stützen könnte. Unter diesen sind nämlich
nur etwa dreißig Platten, auf denen Ansichten
und Geschehnisse aus Altberliner Straßen
aufgezeichnet sind.[1] Wäre das wirklich alles
an photographischer Ausbeute, was Zille von
seinen berlin-köllnischen Streifzügen mitge-
bracht hätte, dann müßten wir ihm unterstel-
len, er habe seine unhandliche Kamera zwar
auf Familienausflügen mitgeschleppt, sich

aber nur selten mit ihr nach Berlin hineinge-
wagt!
Glücklicherweise besteht zu solchen Vermutungen kein Anlaß, da wir ja zum einen nicht
davon ausgehen können, daß das gesamte von
Zille belichtete Plattenmaterial unversehrt auf
uns gekommen sei, zum anderen aber verschiedene Photoalben aus der Familie belegen,
daß es – wie meistens – auch von Zilles Photographien mehr Abzüge als Negative gibt.[2]
Insbesondere ein Album aus dem Besitz von
Walter Zille enthält neben einer großen Anzahl von zum Teil frühen Ansichtskarten auch
etwa 120 alte Abzüge, die in der Hauptsache
Ansichten aus Berlin-Mitte und den unmittelbar angrenzenden Bezirken zeigen.[3] Daß
diese Abzüge von Negativen stammen, die
Heinrich Zille aufgenommen hat, wird – abgesehen von der Provenienz – auf dreifache
Weise wahrscheinlich gemacht: etwa 30 der
technisch gleich beschaffenen Abzüge sind von
bekannten und vorhandenen Platten gemacht;[4]
von einigen Abzügen läßt sich nachweisen,
daß sie schon früh in Zilles Besitz gewesen sein
müssen, da er sie einigen seiner graphischen
Arbeiten zugrunde gelegt hat;[5] die technische
Beschaffenheit der Abzüge unterscheidet sie
so deutlich von den handelsüblichen Produk-
ten der Ansichtskarten-Hersteller, daß sie nur
für den »Hausgebrauch« eines Amateurs an-

gefertigt worden sein können.[6] Für die Zuschreibung der Autorschaft an Heinrich Zille sollte aber letztlich ein weiteres – für jedermann überprüfbares – Argument den Ausschlag geben: die stilistische Einheitlichkeit der Aufnahmen, die es schwer machen dürfte, die hier abgebildeten Plattenabzüge und Reproduktionen von der Auffassung des Gegenstandes her zu unterscheiden.

Soweit bisher Datierungen möglich waren, hat sich herausgestellt, daß die Straßenphotos in einem Zeitraum von nahezu 20 Jahren, seit etwa 1895 bis etwa 1912/14,[7] entstanden sein müssen. Die meisten von ihnen wurden zu verschiedenen, oft weit auseinanderliegenden Zeitpunkten aufgenommen.[8] Nur vereinzelt bietet sich die Möglichkeit, Teile des vorhandenen Materials als zusammenhängend zu bestimmen: so die vier Aufnahmen vom Umzug in der Hirtenstraße und die drei von den Bauarbeiten in der Dircksenstraße. Die meisten Aufnahmen erscheinen uns heute jedoch vereinzelt und dürften sich kaum mehr als Teilresultat gezielter und möglicherweise sogar thematisch festgelegter Photoexkursionen bestimmen lassen.[9]

Seit seiner Schul- und Lehrzeit kannte sich Zille in Berlin-Mitte und den östlich wie nördlich angrenzenden Bezirken aus. Sicher wußte er auch, welche Ecken und Winkel im alten Berlin als malerisch oder romantisch verwunschen geschätzt wurden, oder ob ihrer Monumentalität, wenn nicht gar vaterländischen Bedeutung, für abbildenswert gehalten wurden. Aber er läßt sich von diesem Wissen nur selten leiten, wenn er Berlin im Sucher seiner Kamera besichtigt. Auch benutzt er bestimmte »branchenübliche« Sehweisen nur sehr zurückhaltend. Die panoramatische Gesamtschau von erhöhtem Standpunkt aus ist ihm allenfalls da recht, wo der Gegenstand so ausgebreitet daliegt, daß er anders kaum erfaßt werden könnte. Lieber hält er an seiner Fußgängerperspektive fest, auch wenn er dafür ein paar Überschneidungen in Kauf nehmen muß. Überhaupt zieht er es vor, möglichst nahe an die Sache heranzukommen. Zwar hat auch er Aufnahmen fluchtender Straßenzüge gemacht, doch weitaus häufiger hat er den Blick schräg über die Straße gewählt, um die Details genauer erfassen zu können.

Wie am Krögel so benutzt er auch sonst die Kamera, um Zustände des Verfalls und der Ärmlichkeit festzuhalten. Er registriert aber auch den Eingriff in den Baubestand der Altstadt, wie den Abbruch in der Parochialstraße und die darauf folgende Errichtung des Stadthauses[10] oder den Abbruch im Scheunenviertel.[11] Das »schöne« alte Berlin interessiert ihn wenig und auch der modernen und modischen

–80
84
, 88
116
120
109, 114
70, 75
77–80
82, 97
68, 76
100
74, 119
89
117, 118

59

Weltstadt hat er kaum photographische Aufmerksamkeit gewidmet. Der Potsdamer Platz scheint eher der gerade zu beobachtenden Sonnenfinsternis wegen auf die Platte gekommen zu sein,[12] der ›Alex‹ ist nicht eigentlich als weltstädtisches Verkehrszentrum ins Bild gebracht, und der Platz vor dem Nationaldenkmal ist wohl auch mehr des sonntäglichen Betriebes wegen als zu Wilhelms Ehren abgebildet worden.

Eine ganze Reihe von Aufnahmen zeugen von Zilles ausgeprägtem Interesse an schriftlichen oder bildlichen Annoncen und ihren oft leeren oder widerspruchsvollen Versprechungen.[13] Hier erfaßt er mit bewundernswertem Scharfblick so etwas wie die Emblematik der Großstadtstraße. Minna Neumanns Produktenhandlung (= Altmaterialienhandlung) ist – wie üblich – im Keller untergebracht. Auf Abb.106 gehört dem »Produktengeschäft en gros« der piano nobile, während sich im Keller der »Berliner Chic« zu entfalten versucht. Die unübersehbar ausgewiesene Nachbarschaft von August Sommers Gastwirtschaft und Gustav Aßmanns Beerdigungsinstitut erinnert an die Textzeile unter Zilles Blatt ›Zur Mutter Erde‹: »Besauft eich nich un bringt det Sarg wieder, de Müllern ihre Möblierte braucht'n morjen ooch.«[14] Ob Zille auch die »Kaiser Wilhelm-Straße« und das »Berliner Intelligenzblatt« in einem bedenklichen Zusammenhang gesehen hat, sei dahingestellt, sicher aber hat es ihn vergnügt, daß ihm die Aufnahme einer Begegnung in der Friedrichstraße vor dem Hintergrund einer Werbung für »American Art Photography« gelungen ist.

Entsprechend sind ihm auch rein anschauliche Bedeutungszusammenhänge aufgefallen. Er erkennt den versteckten Zynismus der übereinandergestapelten Kindersärge im Schaufenster eines Sargmagazins[15] oder die Übertreibung in der Dekoration des Eingangs zum ›Toppkeller‹ von Bierkrukenhändler Richter in der Wallstraße.[16] Das ordentlich aufgreihte Schlachtgeflügel vor dem Laden von Otto Spiegel hat er vielleicht bloß der Kuriosität halber aufgenommen, von der surrealen Erscheinung einer Kolonne pelzbehängter Kleiderpuppen in nebliger Straße hat er sich jedoch zu einer beklemmend großartigen Photographie inspirieren lassen.

So direkt und frontal Zille die Details einer Schilderwand ins Bild zu bringen versucht, so behutsam und zurückhaltend geht er zu Werke, sobald er die Kamera auf Menschen richtet. Seine Vorsicht veranlaßt ihn nicht, zwischen abbildbaren und nicht mehr abbildbaren Situationen zu unterscheiden, sie erstreckt sich nur auf die Art, wie er sich an die ins Auge

gefaßten Menschen heranmacht. Vielfach
98, nimmt er sie schräg von hinten auf, blickt
90 ihnen mit der Kamera hinterher. Zuweilen
, 85 nutzt er auch die Versunkenheit der Menschen,
86 um ihnen entgegenzutreten, doch nicht immer
84 bleibt er dabei unentdeckt. Ganz selten nur –
und vermutlich nie ganz freiwillig – läßt er es
zu, daß sich Menschen posierend vor seiner
Kamera aufbauen. Wenn es sich, wie bei den
, 94 ehrbaren Schustern, nicht umgehen läßt, ent-
ledigt er sich der Aufgabe, ohne viel choreo-
graphische Phantasie daran zu wenden. Bietet
sich ihm die Möglichkeit, aus unbeobachteter
Position das Entstehen einer aussagekräftigen
Bildkonstellation abzuwarten, dann versucht
er allerdings den richtigen Bildwinkel und
Moment abzupassen: auf Abb. 92 läßt sich am
nach rechts hin offen gehaltenen Bildausschnitt
erkennen, daß er die beiden Flaneure unbe-
dingt mit auf der Platte haben wollte; auf
Abb. 96 sieht man, daß er die Frühaufsteher
und die Übernächtigten in einem Zusammenhang bringen wollte.

Es zeigt sich hier – wie bei den Photographien
von Schilderwänden und Ladenfronten – ein
Gespür für Kontrastwirkungen, ein Interesse
am Zusammensehen von Entgegengesetztem.
Dies Interesse konzentriert sich jedoch darauf,
das Widersprüchliche am photographierten
Gegenstand selbst deutlich werden zu lassen.

Daher die eigentümliche Mischung von Dis-
kretion und Direktheit in Zilles Straßenphotos:
Diskretion dort, wo das Sichtbare durch
entstellende Pose verfälscht werden könnte;
Direktheit immer da, wo die Photographie
Offensichtliches erkennbar machen soll.

Anmerkungen

1 Nicht auf allen der insgesamt 42 in dieser Abtlg. er-
faßten Platten erscheinen Gegenstände aus den zen-
tralen Bezirken Berlins.

2 Drei Alben befinden sich im Besitz von Herrn Heinz
Zille, Berlin-Gatow; mindestens eines im Besitz von
Frau Margarete Köhler-Zille, Berlin (DDR). Soweit
mir bekannt, kommen in allen vier Alben Abzüge
vor, zu denen ein Negativ nicht mehr nachgewiesen
werden kann.

3 Es handelt sich um ein großes Ansichtskarten-Steck-
album, in dem neben den genannten Photographien
auch zahlreiche Ansichtskarten aufbewahrt werden.
Soweit diese postalisch verwandt wurden, sind sie
teils an Heinrich, teils an Walter Zille gerichtet. Die
fraglichen Abzüge sind alle auf unbeschriftete Post-
karten der Dt. Reichspost (30er Jahre) aufgeklebt und
so hergerichtet, daß sie in die Einsteckfalzen des Al-
bums passen. Das gesamte Material ist weder be-
schriftet, noch in anderer Weise gekennzeichnet. Da
es erst kurz vor Fertigstellung des Manuskriptes entdeckt wurde, konnte es nicht mehr abschließend be-
arbeitet werden. Die Anzahl der Abzüge kann deshalb hier nur ungefähr bestimmt werden.

4 Von den im vorliegenden Bande abgebildeten Photographien finden sich z.B. Abzüge nach: Abb. 47, 49–51, 66, 68, 70, 80, 83, 100, 114, 139, 147, 164.

5 Abb. 60 hat z.B. als Vorlage für das Blatt ›Umzug im Scheunenviertel‹ (1900) gedient – Abb. in: H. Zille – Kat. Ausst. Dt. Akad. d. Künste, Berlin, 1958, p. 18; Abb. 101 liegt einer bei Nagel – 1973, p. 113 – abgebildeten Lithographie zugrunde.

6 Es handelt sich um Kontaktabzüge auf zumeist dünnem, nicht immer regelmäßig beschnittenem Papier; die dunklen Plattenränder wurden vielfach stehengelassen; an Formaten kommen 9 × 12 und 9 × 9 vor; die quadratischen Kopien scheinen durch entsprechendes Abdecken von 9 × 12-Negativen hergestellt zu sein.

7 Es lassen sich bisher weder eine »früheste«, noch eine »späteste« Aufnahme exakt bestimmen. Anhand vorgenommener Vergleiche läßt sich nur sagen, daß die um 1895 anzusetzende Abb. 71 zu den ganz frühen Aufnahmen gehört, Abb. 107 und 110 zu denen, die mit Sicherheit nach 1910 entstanden sind.

8 Abb. 71 und 72 zeigen den gleichen Blick in die Waisenstraße zu ca. 15 Jahre auseinanderliegenden Zeitpunkten.

9 Daß Zille solche Exkursionen unternommen hat, belegen die Aufnahmen vom Markt und von den Reisigsammlerinnen in Charlottenburg – s. Abtlg. 5 und 6.

10 Der Bau des von Ludwig Hoffmann entworfenen Stadthauses erfolgte 1902–1911 auf dem von Parochial-, Kloster-, Stralauer- und Jüdenstraße eingefaßten Geviert; s. Zentralblatt d. Bauverwaltung 1911, pp. 558–560.

11 Die Aufnahme wurde von Zille für eine auf das Scheunenviertel bezogene Illustration der ›Zwanglosen Geschichten‹ verwandt – Abb. in: Das gr. Zille-Album, Hannover, 10. Aufl. 1964 (unpag.). Die Aufnahme zeigt das um 1910 abgebrochene Gebiet um den Bülow Platz (heutigen Rosa Luxemburg-Platz), in dem 1913–15 das Theater der Volksbühne errichtet wurde.

12 Laut freundlicher Auskunft des Leiters der Wilhelm Förster Sternwarte e.V., Berlin, Herrn Kuhnert, handelt es sich höchstwahrscheinlich um eine in Berlin am 17. 4. 1912 sichtbare Sonnenfinsternis.

13 Nagel – 1973, pp. 71–75 – berichtet von Zilles Neigung, auch in seinen Zeichnungen beziehungsvolle Hinweise und Inschriften anzubringen.

14 Zille, Heinrich – Kinder der Straße (1908), Nachdruck Hannover, 1966, p. 40.

15 Zille verwendet das Photo (Abb. 104) für ein Blatt, in dem er das Schaufenster nach oben ergänzt und das Ladenschild ›Sarg-Magazin Thanatos‹ darüber setzt – Abb. in: Luft, 1967, Abb. 12. Laut Berl. Adreßbüchern hat es ein Beerdigungsinstitut ›Thanatos‹ mindestens zwischen 1888 und 1910 in der Holzmarktstraße 45 gegeben.

16 Die Eingangsdekoration hat Zille ebenfalls wieder verwandt – s. oben Anm. 5.

Abbildungen

Straßen in Alt-Berlin

99 Bauzaun, Berlin,
Kaiser Wilhelm-Straße –
vor 1898 (9 × 12)

100 Produktenhandlung Minna
Neumann, Berlin,
Parochialstraße 23 – ca. 1900 (9 × 12)

101 Bierkrukenhandlung
(›Toppkeller‹), Berlin,
Wallstraße 35 – vor 1910 Repro

102 Ross-Schlächterei Hedwig
Peters, Berlin-Wedding,
Müllerstr. 24 – ca. 1910 Repro

103 Beerdigungsinstitut G. Aßmann,
Berlin, Bergstraße 69 – ca. 1910 Repro

104 Sargmagazin ›Thanatos‹ (?),
Berlin, Holzmarktstraße 45 (9 × 12)

105 Glas- und Porzellanhandlung
Louise Holland, Berlin,
Kochstraße 54 b – ca. 1912 Repro

106 ›Berliner Chic‹, Berlin,
Linienstraße 34/35 – 1908/09 Repro

107 Otto Spiegel – Wild und
Gemüse, Berlin-Wedding,
Reinickendorfer Straße 101 –
ca. 1912 Repro

108 Pelze und Rauchwaren Repro

Das moderne Berlin

109 Berlin, Alexanderplatz Repro

110 Potsdamer Platz – Passanten
beobachten eine Sonnen-
finsternis – 17. 4. 1912 Repro

111 Straßenszene in der Innenstadt Repro

112 Passage-Panoptikum,
Friedrich-/Ecke Behrenstraße
– ca. 1910 Repro

113 Vor dem Denkmal Kaiser
Wilhelms I., Berlin,
Schloßfreiheit Repro

114 Am Tor des Charlottenburger
Schlosses (9 × 12)

Berlin am Wasser

115 Lagerschuppen am Wasser Repro

116 Jungfernbrücke – nach 1900 Repro

117 An der Friedrichsgracht –
nach 1901 Repro

118 Friedrichsgracht mit Blick auf
Roßstraßenbrücke – nach 1901 Repro

119 Spreeufer zwischen Krögel
und kleiner Stralauer Straße,
im Hintergrund der Turm
des Stadthauses – ca. 1910 Repro

120 Blick von der Waisenbrücke
nach Westen – ca. 1900 (16,5 × 21,5)

Zu dieser Abteilung sind außer den abgebildeten Photographien noch insgesamt 14 Platten vorhanden:

12 (9 × 12) / 1 (12 × 16) / 1 (13 × 18)

5. Charlottenburg – Markt auf dem Friedrich Karl-Platz Abb. 121–127

Im April 1893, ein halbes Jahr nach dem Einzug der Familie Zille in die Sophie Charlotten-Straße 88, erreichte die Einwohnerzahl der kreisfreien Stadt Charlottenburg die 100000. Im Jahre 1900 war sie schon auf 182000 gestiegen und 1910 auf rund 280000.[1] Diese wenigen statistischen Daten lassen etwas von dem Tempo erkennen, mit dem sich die junge Großstadt in der unmittelbaren Nachbarschaft Berlins entwickelte. Am Anfang des 20. Jahrhunderts zählte Charlottenburg zu den wohlhabendsten Städten Preussens,[2] und diesen Reichtum verdankte es sicher nicht nur denen, die die vornehmen Gegenden am Kurfürstendamm, an der Bismarckstraße und in Westend bevölkerten. In großen Industrieanlagen – Siemens & Halske, Schering und, im nördlich anschließenden Moabit, die AEG – waren Tausende von Arbeitern tätig, die zu einem guten Teil in Charlottenburger Mietskasernenvierteln wohnten.[3]
Das Areal zwischen Schloßstraße und Sophie Charlotten-Straße war ein solches Viertel und auf dem darin liegenden Friedrich Karl-Platz (heutigem Klausener-Platz) wurde seit 1891 ein die westlichen Gebiete Charlottenburgs versorgender Wochenmarkt abgehalten.[4] Dieser war von der Zilleschen Wohnung in wenigen Minuten erreichbar und insofern für die Familie sicher eine regelmäßig aufgesuchte

Einkaufsquelle – mehr also und anderes als nur der pittoreske Schauplatz einer damals schon anachronistisch werdenden Handelsform.[5]
Auch wenn der Familienvater und -ernährer Heinrich Zille um 1900[6] bestimmt nicht die Lebensmittel für die Familie einkaufen mußte, läßt sich doch seinen Marktphotographien sofort absehen, daß er aus alltäglicher Erfahrung ein ganz nüchternes Verhältnis zu dieser gewohnten Versorgungseinrichtung hatte. So hält er das kulinarisch Verlockende des Warenangebots und seine rustikale Darbietungsform nicht für abbildenswert: sorgfältig geschichtete oder üppig überquellende Obst- und Gemüseauslagen sind ihm so wenig interessant wie die aus Abfällen, Korb- und Kistenstapeln sich zusammenfügenden rückwärtigen Marktstilleben. Was ihn interessiert, worauf er den Sucher seiner Handkamera richtet, sind die Menschen auf dem Markt. Und hier wieder nicht die Verkäufer, die ›Typen vom Lande‹, sondern die Menschen aus dem Viertel: Charlottenburgerinnen beim Morgeneinkauf – solche mit Hut und Handtäschchen wie solche mit Schürzen und Einkaufskörben.

Frauen bei der Arbeit, bei der sparsamen Beschaffung von Nahrungsmitteln oder auch der überlegten Planung eines Tafelgenusses, das

ist das Thema von Zilles Marktphotographien.
121 Er zeigt uns einerseits, wie es abgehärmten
Arbeiterfrauen offenbar nur ums tägliche
Brot gehen kann, und andrerseits, wie die
›gnädigen Frauen‹ die Auswahl der Beilagen
zum Mittagsmahl doch lieber nicht den Dienst-
124 boten allein überlassen wollen. Er beobachtet
aber auch, wie barfüssige Jungen darüber
grübeln, warum man Geld braucht, um sich
123 etwas ›leisten‹ zu können, oder wie sich ein
Dienstmädchen den Griff in die Kirschentüte
127 eben einfach leistet.

Diese Bilder Schnappschüsse zu nennen, wäre
falsch. Zwar ist es Zille gelungen, den einen
oder anderen sprechenden Moment festzuhalten, aber gerade das verdankt sich nicht
einem zufälligen Dabeigewesensein des Photographen. Es ist vielmehr Resultat einer sorgfältig und gezielt vorgehenden Beobachtung,
die sich scharfsichtig in den selbstgesteckten
Grenzen einer thematischen Bestimmung des
Gegenstandes bewegt. Es scheint uns daher
nicht abwegig, schon hier Anfänge dessen zu
erkennen, was erst sehr viel später mit dem
Begriff »photo-essay« bezeichnet wurde. Und
– um es nochmal klarzustellen – dieser Essay
handelt nicht von den stadtfremden Reizen
märkischer Landleute oder der schlagfertigen
Selbstbewußtheit berlinischer Marktweiber,

sein Thema ist schlicht und anspruchsvoll:
Charlottenburgerinnen bei der Beschaffung
von Lebensunterhalt.

Anmerkungen

1 Zur Geschichte Charlottenburgs: Wirth, Irmgard –
Die Bau- und Kunstdenkmäler von Berlin, Stadt und
Bezirk Charlottenburg, Text- und Tafelband, Berlin
1961, bes. pp. 28–37; Einwohnerzahlen pp. 31/32;
Gundlach, Wilhelm – Geschichte der Stadt Charlottenburg, 2 Bde., Berlin 1905; tabellarische Zusammen-
stellung der Entwicklung der Einwohnerzahlen in:
Fischer, E./Eckler, W. – Erzählungen aus der Geschichte Charlottenburgs, Berlin 1963, p. 146.
2 Wirth, op. cit., p. 36.
3 Gundlach, op. cit., Bd. I, pp. 630–635.
4 Gundlach, op. cit., Bd. I, pp. 570, 605, 630.
5 Schon vor der Jahrhundertwende bestanden in Berlin
mehrere Warenhäuser; die Erweiterungsbauten von
Wertheim, Leipziger Str. (330 m Straßenfront!) erfolgten 1897–1904, von Tietz, Leipziger Str., 1900; das
Kaufhaus des Westens in Charlottenburg wurde 1907
eröffnet.
6 Zur Datierung der Photographien: Zille hat nach dem
in die Tüte greifenden Dienstmädchen auf Abb. 127
eine 1901 datierte Zeichnung angefertigt; s. Luft, 1967,
Abb. 26.

6. Charlottenburg – Reisigsammlerinnen
Abb. 128–142

Zu dieser Abteilung sind außer den abgebildeten Photographien noch insgesamt 8 Platten (9 × 12) vorhanden.

6. Charlottenburg – Reisigsammlerinnen
Abb. 128–142

Schon während der neunziger Jahre sang man in Berlin: »Im Jrunewald, im Jrunewald ist Holzauktion«.[1] Im beliebten Gassenhauer ist dialektische Erfahrung vom fortschreitenden Prozess des Städtewachstums festgehalten: Besorgnis und Bedauern um das Eindringen der Stadt in wildwüchsige Natur, aber auch die Flüsterparole, daß es wiedermal günstige Gelegenheit zur Brennholzbeschaffung gäbe. Ausdehnung und Beschleunigung der industriellen Produktion und der dadurch bedingte ständige Zustrom neuer Arbeitskräfte ins Stadtgebiet[2] bewirkten ein stetes Verschieben der Weichbildgrenze ins Umland – im Westen Berlins in das um 1890 noch 4400 Hektar große Gebiet des Grunewalds.[3]

Heinrich Zille hat in der Sophie Charlotten-Straße jahrelang am Rande des städtischen Siedlungsgebietes gewohnt und konnte von seinem Fenster aus und auf dem täglichen Weg zur Arbeitsstätte in Westend beobachten, wie sich die Villenkolonie Westend – gewissermaßen als Vorhut der Mietskasernen-Quartiere – in den Grunewald hineinschob.[4] Diese persönliche Stadtranderfahrung hat er in einem seiner späten Briefe niedergeschrieben: »Als ich achtzehn Jahre alt war, wollte ich Landschaft (Wasser, Bäume, Himmel) malen. Aber die Stadt wuchs, die Landschaft rückte weg – immer bleiben die armen Figuren ...«[5]

»Arme Figuren« sind es auch, die Zille im Brachland vor seiner Tür, jenseits der Ringbahn, bei der Heimkehr vom Holzsammeln beobachtete und photographierte.[6] Diese Frauen aus Charlottenburg waren nicht arm im Sinne der Schlagworte vom »fünften Stand«, den »Vergessenen und Verrufenen«. Sie waren nicht obdachlos und ihre Männer mußten nicht arbeitslos sein, aber wenn sie Brennmaterialien für Herd und Heizung brauchten, dann fehlte für eine Bestellung beim Kohlenhändler um die Ecke trotzdem oft das Geld. Stattdessen zogen sie dann mit Kind und Kinderwagen in den Grunewald, um dort an den Schlagplätzen das aufzusammeln, was sich an Nutz- und Bauholzinteressenten nicht losschlagen ließ. Für die Frauen, denen die familiäre Arbeitsteilung die Brennholzbeschaffung zuwies, waren das harte, vermutlich oft ganztägige Unternehmungen. Wer da Gelegenheit hatte, tat sich mit anderen zusammen, entweder um vorhandene Transportmittel in vereinter Anstrengung nutzen zu können, oder auch, um die Versorgung der Kinder und Zurückgebliebenen zu gewährleisten.

Dies gemeinschaftliche Handeln der Frauen, ihre Solidarität im Zupacken, hat Zille in seinen Aufnahmen thematisiert. Erkennbar wird es nicht nur in der großartigen Aufnahme der beiden Frauen, die sich vor hochbeladenem Leiterwagen in die Riemen legen, sondern auch in dem Photo von gemeinsamer Rast oder in der Serie von den Kiepen- und Sackträgerinnen, von denen eine für alle den Verpflegungskorb und die Kaffeekanne trägt. Bestätigt wird diese thematisch bestimmte Dokumentationsabsicht Zilles aber da, wo sich im anekdotischen Fortgang der Bilderfolge Solidarität als ein Resultat gemeinsamer Erfahrung erweist. Zuerst sieht man zwei Frauen,

128

134

135–138

129–133

jede für sich, ihre Holzfuhre durch das öde Brachland ziehend oder schiebend; dann begegnen die beiden sich, bleiben aber für sich, jede mit ihrer Last beschäftigt, ihrem Zuhause zustrebend; doch endlich, im tiefen Sand vor der Ringbahnbrücke, auf dem letzten schweren Wegstück, da sehen wir sie gemeinsam das tun, was die Kräfte jeder einzelnen vielleicht überfordert hätte.

129

131

133

Es gibt dann auch Aufnahmen von einzelnen Frauen, deren Alleinsein im Verhältnis ihrer Gestalt zu Bildgrenze und Bildhorizont optisch bewußt erfaßt und gestaltet zu sein scheint. In den Kontext der anderen Photographien gestellt, bestätigen sie jedoch nur die Konsequenz, mit der Zille sein aus eigener Sozialerfahrung bestimmtes Dokumentationsinteresse verfolgt.[7] Diese Frauen sind ihm nicht zufällig allein ins Sucherbild geraten, er hat sie als Vereinzelte und Einsame gesehen und sie als eben diese photographiert.

139

140

Anmerkungen

1 Pomplun, Kurt – Kutte kennt sich aus, Berlin 1970, p. 62; zur Abholzung s. auch Lange, A., 1967, pp. 473 bis 475.

2 Vgl. die Zunahme der Charlottenburger Bevölkerung zwischen 1893 und 1910 – Abt. 5, Anm. 1.

3 Pomplun, op. cit., p. 62; heute bedeckt er noch eine Fläche von 3211 Hektar; s. ibid. p. 65.

4 Vgl. die zitierte Beschreibung von Hans Zille im Text zu Abt. 1, p. 47.

5 Schumann, W. – Pinselheinrich, Hannover 1953, p. 10.

6 Eine Datierung der Aufnahmen auf ca. 1900 läßt sich aus einer Analyse der Bausituation in der Sophie Charlotten-Straße und an der Knobelsdorff-Brücke gewinnen. Der auf Abb. 133 links sichtbare Brauerei-Schornstein ist 1898 datiert; nordwestlich der Knobelsdorff-Brücke ist von der 1904 begonnenen Epiphanien-Kirche noch nichts zu sehen; s. Wirth, op. cit., Abt. 5, Bd. I, pp. 88 und 638.

7 Das Thema ›Reisigsammlerinnen‹ hat ihn als Zeichner und Graphiker spätestens seit der Mitte der neunziger Jahre intensiv beschäftigt.

Abbildungen

Zu dieser Abteilung sind außer den abgebildeten Photographien noch insgesamt 10 Platten (9 × 12) vorhanden.

7. Ungewöhnliche Blicke auf Gewohntes
Abb. 143–155

Die Photographie als Darstellungsmittel hat sich im Laufe ihrer späteren historischen Entwicklung geradezu darauf kapriziert, Gewohntes wie Ungewohntes auf ungewöhnliche Weise ins Bild zu bringen.[1] Die fortschreitende Steigerung der Möglichkeiten von Aufnahme- und Labortechnik hat dabei immer neue Kunstgriffe handhabbar und erschwinglich gemacht. Entsprechend hat sich aber auch eine Form der Wahrnehmung von »photographischer Originalität« eingespielt, die die Qualität des Ungewöhnlichen geradezu als Bestimmungskriterium von Photographie überhaupt verwendet. Dabei wird das Ungewöhnliche kaum mehr daran bestimmt, ob es über die Grenzen einer in Gattungskonventionen festgeschriebenen Kollektiverfahrung hinausgreift, es wird vielmehr schlicht als »subjektive Optik« begriffen und geschätzt. Zu Zilles Zeiten war das anders!

In einer Zeit, wo selbst Liebermannsche Gemälde der Häßlichkeit bezichtigt wurden, hatte jeder Photograph Grund genug sorgfältig abzuwägen, ob er eine seiner Platten mit dem Abbild von Gegenständen belichtete, die vom herrschenden Geschmack als nicht bildwürdig eingestuft wurden. Und das von Kunstgeschmack und Anschauungsinteresse ins Abseits der Belanglosigkeit Gerückte war nicht etwa das exotisch Ferne, der allgemeinen Aufmerksamkeit Unzugängliche; es war vielmehr das alltäglich Gewohnte, der Notdurft Dienende, dem der Makel des Kunstfremden aufgedrückt wurde. Bürgerliche Arbeitsmoral und Erwerbsinteressen hatten der Kunst längst im Bereich des Feiertäglichen das »Reich des Schönen« als Reservat angewiesen. In Konsequenz erwartete man von der Malerei wie von der mit dieser wetteifernden Photographie Bilder, die diese Ordnung der Lebensbereiche bestätigten. Subjektive Optik und photographische Originalität konnten dort nicht auf Beifall rechnen, wo sie mit ihren Manifestationen mehr als nur den ästhetischen Konsensus des bürgerlichen Publikums in Frage stellten.[2]

Bei der Wahl seiner Gegenstände hat sich der Photograph Zille häufig über diese Konventionen hinweggesetzt. Aber er tat dies nicht, um das Seltene, skurril Besondere oder interessant Strukturierte an den Dingen aufzudecken. Er versuchte im Gegenteil gerade das in seinem Wahrnehmungshorizont vorkommende Alltägliche in seiner Alltäglichkeit festzuhalten.[3] Gleich, was ihm davon in den Sucher geriet, er handhabe die Kamera stets mit prosaischer Nüchternheit. Ob Wäsche auf 143 der Leine, ein hämisches Kinderpamphlet am 145 Bretterzaum, das ausrangierte Sofa hinterm Haus der Eltern oder die Müllhalde im nahen 146

Brachland – immer wieder stellte er sich geradewegs vor dem Gegenstand auf und erfaßte ihn in breiter Übersichtlichkeit.[4] Wo möglich, versuchte er auch hier Zusammenhänge zu dokumentieren: zur Müllhalde die Fuhrwerke und den sandigen Anfahrtsweg, zur Kiesgrube den einsamen Grubenwärter in seiner Hütte.[5] Die Selbstauslöser-Aufnahme schließlich, auf der Zille selbst mit dem Grubenwärter am Tisch sitzt, belegt, daß Ortskenntnis und persönliche Vertrautheit mit Menschen und Dingen wesentliche Voraussetzungen für das Entstehen dieser ungewöhnlichen Bilder von Gewohntem waren.

Anmerkungen

1 Dazu W. Kemp, in: August Sander, Rheinlandschaften, München, 1975, pp. 34–38.
2 Das oft zitierte Wort eines Besuchers der Secessionsausstellung (1901/02) über Zilles Graphiken: »Der Kerl nimmt einem ja die ganze Lebensfreude«, gehört in diesen Zusammenhang; s. Ostwald, 1929, p. 12.
3 Daß manche der aufgenommenen Gegenstände aus der alltäglichen Umgebung Heinrich Zilles stammen, ist an verschiedenen Photographien abzulesen: Abb. 144 zeigt den Wäscheplatz an der Sophie Charlotten-Straße, der auch auf Abb. 10 zu sehen ist; Abb. 146 zeigt den Schuppen, der auf Abb. 2 rechts erscheint; das Gebäude im Hintergrund von Abb. 147 ist die 11.

und 12. Gemeindeschule Charlottenburg, Sophie Charlotten-Straße 69/70.
4 Von dem Sofa im elterlichen Schuppen existiert sogar noch eine zweite Aufnahme, die fast frontal genommen ist.
5 Nach einer Beschriftung in einem Photo-Album von Walter Zille (im Besitz von Heinz Zille) befand sich die aufgenommene Kiesgrube um 1900 in der Gegend des heutigen Theodor Heuss-Platzes.

Abbildungen

8. Kinder und Kinderspielplätze
Abb. 156–166

152 Sandweg zur Müllhalde in
Charlottenburg (9 × 12)
153 Müllarbeiter mit Handwagen (9 × 12)
154 Müllfuhrwerk (9 × 12)
155 Hausierer mit Hundegespann (9 × 12)

Zu dieser Abteilung sind außer den abgebildeten Photographien noch insgesamt 17 Platten vorhanden. Davon entfallen auf die Themenbereiche:

Ungewöhnliche Blicke 14 (9 × 12)
Übendes Militär 3 (9 × 12)

8. Kinder und Kinderspielplätze
Abb. 156–166

Im Vergleich zu den zahlreichen Blättern mit Kinder-Motiven in Zilles graphischem Œuvre,[1] scheint es zunächst erstaunlich, daß es – von Familienphotos abgesehen – nur wenige Photographien gibt, die sich mit dem Themenkomplex ›Kind und Kinderspiel‹ spezifisch befassen. Für diese scheinbare Disproportion läßt sich jedoch bei näherem Hinsehen schnell eine Erklärung finden. Indizien dazu liefern **161, 162** die beiden Photos mit den sich überschlagenden Kindern.
Auf den ersten Blick scheinen die beiden Aufnahmen zwei unmittelbar aufeinander folgende Phasen einer gemeinschaftlichen Anstrengung zum Handstand abzubilden. Genauerer Prüfung muß jedoch auffallen, daß manches Sichtbare der vorausgesetzten Kontinuität des Handlungsverlaufes widerspricht. Zunächst läßt sich ein Standortwechsel des Photographen ausmachen: Zille muß nach der ersten Aufnahme den sandigen Abhang hinaufge- **161** stiegen sein, um beim zweiten Mal etwas näher am Gegenstand zu sein. Dann zeigt sich auch **162** an den Haltungen einzelner Jungen, daß sie nicht in sukzessiven Phasen eines Bewegungsablaufes festgehalten wurden: der 4. und 5. Junge v. l. befinden sich auf Abb. 162 in einer relativ gelassenen Hockstellung, die schwerlich als Resultat eines eben erst erfolgten Zurückfallens in die Ausgangsstellung aufgefaßt werden kann. Der auf Abb. 161 ganz rechts sitzende Junge müßte in der kurzen Zeitspanne, die ein überkippender Handstandversuch erfordert, nicht nur aufgestanden sein, sondern sich auch noch in einen breitbeinig beruhigten Stand gebracht haben. Beides ist unwahrscheinlich, zumal für einen, der unter den abgebildeten Jungen ohnehin der trägste gewesen zu sein scheint. Ergebnis unserer Analyse ist also, daß Zille hier zwei Momentaufnahmen gestellt hat. In seinem ganzen bekannten Photo-Œuvre gibt es keine andere

Aufnahme, die darauf verwiese, daß er Ähnliches nochmal versucht hätte. Es ist daher eher unwahrscheinlich, daß er auch noch versucht haben sollte, die Abfolge der beiden Momentaufnahmen zu planen. Ein solche Mutmaßungen auslösender Eindruck kommt vielmehr dadurch zustande, weil Zille beim Experimentieren auf Wiederholung des gleichen Vorganges bestanden hat und dann – eher zufällig – zwei verschiedene Momente seines Verlaufs fixiert hat.

Wenn Zille ausgerechnet mit Kindern versucht hat, Momentaufnahmen, Schnappschüsse, zu stellen, dann verweist das darauf, daß er offensichtlich Schwierigkeiten hatte, kindliche Spontaneität und Unberechenbarkeit photographisch zu bewältigen. Wie die Aufnahmen vom Markt und von den Reisigsammlerinnen erkennen lassen, verfügte Zille über eine Handkamera, mit der er gemessene, in ihrem Ablauf einzuschätzende Bewegungen festhalten konnte. Plötzliche, abrupt sich ändernde Bewegungsabläufe, wie sie kindlichem Verhalten besonders eigen sind, haben jedoch die ihm verfügbare Kameratechnik offensichtlich überfordert.[2]

Noch eine andere Unzulänglichkeit mag ihn behindert haben. Sein unhandliches Gerät machte es ihm wohl schwer, seine photographischen Absichten vor kindlicher Aufmerksamkeit und Neugierde zu verbergen. Zwar beschreibt er selbst seine Beobachtersituation aus der Erinnerung als unkompliziert: »Am Kaiserdamm war große Heide. Da saßen die Weiber mit ihren Kindern – hielten sie ungeniert an die Brust – oder hielten sie ab: da konnte man sie belauschen ...«[3] Seine Aufnahmen vom Kasperletheater und vom Buddelplatz am Lietzensee zeigen aber, daß er die Unbefangenheit nicht zu sehr auf die Probe stellen wollte, sondern lieber auf Distanz blieb. Zu einer nahen, direkten Konfrontation von Kind und Kamera kommt es nur dort, wo eine Vertrautheit zwischen Kindern und Photographen vorgegeben ist, sei sie nun auf Bekanntschaft und Sympathie gegründet oder auf das ehrende Angebot, Kegeljungen für bildwürdig zu halten.

164–166

159

158

Anmerkungen

1 Ostwald, 1929, pp. 246–276; Ostwald/Hans Zille, 1931, pp. 65–112; Nagel, 1973, pp. 28–51.
2 Vermutlich handelte es sich um eine relativ unhandliche Box mit eingebautem Prismensucher, der eine Verfolgung eines sich schnell bewegenden Gegenstandes kaum erlaubte.
3 Ostwald, 1929, p. 26.

9. Rummel Abb. 167–199

Zu dieser Abteilung sind außer den abgebildeten Photographien noch 5 Platten (9 × 12) vorhanden.

9. Rummel Abb. 167–199

Rummel, Tingeltangel, Vorstadtvarieté – das
waren Bereiche, in denen Zille mit Interesse
und sicher auch mit Vergnügen seine Beobachtungen anstellte.[1] Wenn also am Lietzen-
see-Park, beim Schützenhaus »alljährlich der
große Budenbetrieb aufgebaut wurde«,[2] dann
war es naheliegend, daß auch der Photograph
Zille zur Stelle war, um sich ein Bild von der
Sache zu machen. Dies um so mehr, als es ihm
ja darauf ankam, mit der Kamera Zusammenhänge aufzudecken und anschaulich zu machen. Die kleine, nur vorübergehend errich-
tete Budenstadt des Rummels bot dazu gute
Möglichkeiten, da sich hier Abläufe und Ereignisse in überschaubarem Bereich beobachten ließen.
Es zeigt sich auch hier wieder, daß Zille eine
Reihe ganz bestimmter Themenkomplexe dokumentiert hat, aus deren Zueinanderordnung
sich erst ein Gesamtbild gewinnen läßt. Zunächst kommt der Schauplatz der Sensationen
und Vergnügungen, aus weiter Distanz aufge- 167
nommen. Die Aufnahmen klären die topogra- 168
phischen Verhältnisse und bestimmen die Nähe
oder Ferne zum städtischen Wohngebiet. Im
umfangreichsten Komplex wird dann das
Rummel-Publikum geschildert, sein reservier-
tes oder auch unverhohlen interessiertes Verhalten angesichts der gemalten oder gemimten
Aufforderungen, denen es konfrontiert wird. 169
Zu zwei weiteren – eher intimen – Bereichen
verhält Zille in diskreter Distanz: die Restau-
rationseinrichtungen nimmt er bei ruhendem

oder schwachem Betrieb auf, nutzt aber die Ruhe zu ein paar kühnen Gegenlichtaufnahmen; die Erleichterungsmöglichkeiten und -vorgänge photographiert er aus entdeckungssicherer Ferne; er wartet selbst, bis auch das kindliche Geschäft erledigt ist, ehe er wieder näher an seinen Gegenstand herantritt. Auf dem Rummelplatz versucht er auch noch einmal ausgiebig, Kinder zu photographieren. Doch geht er dabei mit fast scheuer Vorsicht zu Werke, pirscht sich von hinten an die Gruppen heran und scheint stets Wert darauf zu legen, allenfalls im nachhinein entdeckt zu werden. Endlich, und erst damit schließt sich der dokumentierte Zusammenhang, sieht er sich den Rummel auch von hinten an.

Noch einmal zeigt sich, daß Heinrich Zilles Wirklichkeitsverständnis sich nicht mit der Wahrnehmung bloßer Erscheinungsform begnügen wollte. Nicht die marktschreierische Fassade des Vergnügens ist es, die sein photographisches Darstellungsinteresse herausfordert: kaum je, daß er sich eine Gasse schafft, um einen Anpreiser ohne Überschneidung ins Bild zu bekommen, oder um das auf pompöser Schaufront aufgezählte »Riesen-Programm« zu notieren. Zumeist kommt das, was sich selbst zur Schau stellt, nur beiläufig mit ins Bild. Wichtiger sind ihm jedenfalls diejenigen, die mit der Hoffnung auf Entspannung und Zerstreuung hergekommen sind und nun abwägen müssen, wieviel das Verheißene wohl wert sein könnte.

Die hinterrücks photographierten Gruppenporträts der Schaulustigen und Amüsierwilligen sind allerdings nur dann zu entschlüsseln, wenn man sich bereitfindet, es Zille gleichzutun und bei der Wahrnehmung des einzelnen immer auf den Zusammenhang des Ganzen zu reflektieren. Dann aber werden die Unterschiede zwischen der erwartungsvollen und drängenden Neugierde der Kinder und der distanzierten Gelassenheit der Erwachsenen aufschlußreich; es wird erkennbar, wie die Damen sich in sorgsamem Abstand vom vulgär staubigen Gedränge halten, wie andererseits aber die mit der Kamera ins Freie und Helle blickende Kellnerin gerade jetzt wohl wüßte, was sie lieber täte. Fast bedrängend wird aus der starren Ausrichtung einer Menge von Hüten ersichtlich, mit welcher Mischung von Faszination und Beklemmung auch damals schon Stadtmenschen reagierten, wenn sie herausgefordert wurden, ihre Kräfte mit einem »Wilden« zu messen.

Als Zille den Rummel photographierte, legte er es nicht so sehr darauf an, die bizarre Buntheit des Jahrmarktstreibens in pittoresker Bildfolge zu überliefern, ihm ging es eher darum, einen anschaulichen Begriff davon zu

75

gewinnen, was die vom Rummel gebotene Lustbarkeit für die Menschen seiner Zeit bedeutete. Dabei legte er Wert darauf, auch das Gemachte, von Menschen für Menschen Hergestellte der Vergnügungen mit einzubegreifen. Deshalb umging er mit seiner Kamera die Schaufronten der Budenstadt, um auch etwas vom Lebens- und Arbeitsbereich der Menschen festzuhalten, die den Rummel für andere veranstalten. Seine Aufnahmen der Wohnwagen und der verödeten Buden bekräftigen noch einmal, daß es nicht in Zilles Absicht lag, den »alljährlichen Budenbetrieb« romantisch zu verklären.

Anmerkungen

1 Nagel, 1973, pp. 124–144.

2 Zitat, s. Abt. 1, Anm. 10; dem Ast- bzw. Laubwerk der Bäume zufolge hat Zille mindestens zweimal zu verschiedenen Jahreszeiten auf dem Rummel photographiert (Abb. 167, 168); die Lokalisierung des Rummelplatzes ist durch Vergleich mit anderen Aufnahmen gesichert: auf Abb. 168 ist im Hintergrund wieder die Gemeindeschule zu sehen (Abb. 147); die Gebäude auf Abb. 180 und 181 gehören zum Charlottenburger Schützenhaus, das im Zuge des heutigen Kaiserdamms lag und dessen Anlage weichen mußte. Aus den Daten

des 1903 erfolgten Verkaufs des Schützengeländes und des 1904 begonnenen Ausbaues des Kaiserdamms ist ein terminus ante für die Datierung der Photos zu gewinnen; s. Gundlach, 1905, Bd. I, p. 536. Überdies verwendet Zille die Frau mit Kind am Schuppen aus Abb. 182 in der 1901 datierten dreiteiligen Lithographie ›Die Destille‹; Abb. in: H. Zille, Kat. Ausst. Märk. Mus., Berlin, 1969, p. 52.

Abbildungen

Literaturverzeichnis

Zu dieser Abteilung sind außer den abgebildeten Photographien noch 33 Platten (9 × 12) vorhanden.

(Die Literatur über Heinrich Zille ist am Schluß des Verzeichnisses gesondert aufgeführt)

Adorno, Theodor W.: Minima Moralia, Frankfurt/M., 1971.

Albien: Gedanken über Erziehung zum guten Geschmack und Kunstverständnis, in: Phot. Rundschau, 13/1899, pp. 10–16.

Avedon, Richard (Hrsg.): Jacques Henri Lartigue. Phototagebuch unseres Jahrhunderts, Luzern/Frankfurt/M. 1970.

Baluschek, Hans: Im Kampf um meine Kunst (1920), in: Kat. Ausst. ›Hans Baluschek: Gemälde, Zeichnungen, Grafik aus der Slg. Karl H. Bröhan‹, Berlin, Kunstamt Kreuzberg, 1975, pp. 10/11.

Benjamin, Walter: Das Kunstwerk im Zeitalter seiner technischen Reproduzierbarkeit, Frankfurt/M. 1963, pp. 9–63; – Kleine Geschichte der Photographie, ibid., pp. 67–94.

Bode, Wilhelm von: Fritz Klimsch, Freiburg i. Br., 1924.

Braive, Michel F.: Das Zeitalter der Photographie, München, 1965.

Brendicke, H.: Führer auf der Wanderung durch Alt-Berlin – Kölln, Berlin 1918.

Brevern, Marilies von: Künstlerische Photographie von Hill bis Moholy-Nagy, Berlin 1971.

Büchner, E. W.: Die Amateur-Photographie und die Ausstellungen, in: Phot. Rundschau, 8/1894, pp. 330/331.

Coke, Van Deren: The Painter and the Photograph from Delacroix to Warhol, Albuquerque, 2nd enl. ed. 1972.

Cowen, Roy C.: Der Naturalismus, München 1973.

Döblin, Alfred: Kunst, Dämon und Gemeinschaft (1926), in: A.D.: Die Zeitlupe, Kleine Prosa, Olten/Freiburg i. Br., 1962, pp. 90–93.

Doherty, R. F.: Sozialdokumentarische Photographie in den USA, Luzern/Frankfurt/M. 1974.

Evans, Walker: American Photographs, Text von Lincoln Kirstein, New York, 1938.

Falkenhorst, C.: Die Liebhaberphotographie (Gartenlaube, 1920), in: Facsimile-Querschnitt durch die Gartenlaube, Bern/Stuttgart/Wien, 1963, pp. 142–146.

Freund, Gisèle: Photographie und bürgerliche Gesellschaft, München 1968.

Fischer, E./Eckler, W.: Erzählungen aus der Geschichte Charlottenburgs, Berlin 1963.

Frey, Hermann: ›Immer an der Wand lang …‹ Allerlei um Hermann Frey, mit Bildern von Heinrich Zille, Berlin, 1943.

Gernsheim, Helmut: Die Fotografie, Wien/München/Zürich, 1971.

Gernsheim, Helmut und Alison: The History of Photography up to 1914, London, 1955.

Goerke, Franz: Amateur- und Fachphotographie, in: Phot. Rundschau, 8/1894, pp. 213–216.

– ›Nach der Natur‹, Photogravüren nach Originalaufnahmen von Amateurphotographen – Album der ›Internat. Ausst. für Amateur-Photographie‹, Berlin 1896, hrsg. von F.G., Text von Richard Stettiner, Berlin 1897.

– Denkschrift zum zwanzigjährigen Bestehen der ›Freien Photographischen Vereinigung‹ zu Berlin, hrsg. von F.G., Halle/S., 1910.

Goetze, Rolf: Von ›Sonnenaufgang‹ bis ›Sonnenuntergang‹, Gerhart Hauptmanns Berliner Beziehungen, Berlin, 1971.

Gundlach, Wilhelm: Geschichte der Stadt Charlottenburg, 2 Bde, Berlin, 1905.

Hansen, Fritz: Der Photographische Verein zu Berlin, Festschrift zur Feier seines fünfundzwanzigjährigen Bestehens am 18. November 1913, Berlin, 1913.

Hamann, Richard/Hermand, Jost: Epochen deutscher Kultur von 1870 bis zur Gegenwart, (Berlin 1959–1967), München, 4 Bde., 1971–1973; 1. Gründerzeit (1971); 2. Naturalismus (1972); 3. Impressionismus (1972); 4. Stilkunst um 1900 (1973).

Heilborn, Adolf: Reise nach Berlin (1925), Neuausg. mit Einleitung und Ergänzungen von Kurt Pomplun, Berlin, 1966.

Hofmann, Werner (Hrsg.): Caspar David Friedrich und die deutsche Nachwelt, Frankfurt/M. 1974; darin: Fleischer/Hinz/Schipper/Mattausch: Friedrich in seiner Zeit. Das Problem der Entzweiung, pp. 17–26; Wolbert, Klaus: ›Deutsche Innerlichkeit‹. Die Wiederentdeckung im deutschen Imperialismus, pp. 34–55.

Hofmeister, Th.: Vom Figurenbild, in: Phot. Rundschau, 12/1898, pp. 260–270 und 356–363.

Jay, Bill: Victorian Candid Camera. Paul Martin 1864–1944, Newton Abbot, 1973.

Kahmen, Volker: Photographie als Kunst, Tübingen, 1973.

Katalog: ›Ausstellung für Künstlerische Photographie‹, Kgl. Kunstakademie Berlin, Berlin, 1899.

– IV. Kunstausst. der Berliner Secession, Zeichnende Künste, Berlin 1901/02.

– ›Internat. Ausst. Künstlerischer Photographien‹, Kgl. Akademie der Künste zu Berlin, Berlin, 1905.

– ›Malerei nach Fotografie. Von der Camera Obscura bis zur Pop Art‹, München, 1970.

– ›From Today Painting is Dead‹ – The Beginning of Photography, London, 1972.

Kemp, Wolfgang: August Sander: Rheinlandschaften, München, 1975.

Keller, Harald: Kunstgeschichte und Milieutheorie, in: Festschrift C.G. Heise, Berlin, 1950, pp. 31–54.

Kirstein, Lincoln: s. Evans, Walker.

Kreuzer, Helmut: Die Boheme, Stuttgart, 1971.

Lange, Annemarie: Das Wilhelminische Berlin, Berlin, 1967.

Leixner, Otto: Die moderne Kunst und die Ausstellungen der Berliner Akademie, Bd. I: Die Ausstellung von 1877, Berlin 1878.

Lichtwark, Alfred: Die Bedeutung der Amateur-Photographie, Halle/S., 1894.

Liebermann, Max: Ein Beitrag zur Arbeitsweise Manets (1910), in: Ges. Schriften, Berlin, 1922, pp. 148 bis 154.

Lidtke, Vernon L.: Naturalism and Socialism in Germany, in: American Historical Review, 79/1974, pp. 14–37.

Matthies-Masuren, Fritz: Zur Studienreise eines Amateur-Photographen, in: Phot. Rundschau, 12/1898, pp. 65–69.

Mehring, Franz: Gesammelte Schriften in 15 Bdn.; Bd. 11: Aufsätze zur deutschen Literatur von Hebbel bis Schweichel, Berlin, 1961; Bd. 12: Aufsätze zur ausländischen Literatur und vermischte Schriften, Berlin 1963.

Meyer, Theo (Hrsg.): Theorie des Naturalismus, Stuttgart, 1973.

Mitry, Jean: Schriftsteller als Photographen, 1860–1910, Luzern/Frankfurt/M. 1975.

Naumann, Friedrich: Der Bahnhof als Landschaft (1904), in: F.N. – Form und Farbe, Berlin, 1909, pp. 122/123.

Negt, Oskar/Kluge, Alexander: Öffentlichkeit und Erfahrung, Frankfurt/M., 2. Aufl. 1973.

Neumann, Thomas: Sozialgeschichte der Photographie, Neuwied/Berlin 1966.

Oschilewski, Walther G.: Freie Volksbühne Berlin, Berlin, 1965.

Pollack, Peter: Die Welt der Photographie von ihren Anfängen bis zur Gegenwart (Bearbeitung der deutsch-spr. Ausg.: W. Boje, P. Cornelius, F. Kempe, E. Sougez), Wien/Düsseldorf, 1962.

Pomplun, Kurt: Kutte kennt sich aus, Berlin, 1970.

Rautmann, Peter: Der Hamburger Sepiazyklus: Natur und bürgerliche Emanzipation bei C.D. Friedrich (1744–1840), in: Krit. Berichte, 2/1974, Heft 3/4, pp. 84–118.

Recht, Camille: E. Atget: Lichtbilder, Paris/Leipzig, 1930.

Rothe, Wolfgang (Hrsg.): Einakter des Naturalismus, Stuttgart, 1973.

Scharf, Aaron: Art and Photography, London, 1968.

Schulz, Arthur: Deutsche Skulpturen der Neuzeit, 3 Bde., Berlin, 1900.

Schulz, Gerhard (Hrsg.): Prosa des Naturalismus, Stuttgart, 1973.

Stelzer, Otto: Kunst und Photographie, München, 1966.

Stettiner, Richard: s. Goerke, F., 1897.

Terveen, Friedrich (Hrsg.): Berlin in Photographien des 19. Jahrhunderts, Berlin, 1968.

Vogel, H.W.: Handbuch der Photographie, vier Theile, enthaltend die Photographische Chemie, Optik, Praxis und Aesthetik, 4. Aufl., Berlin, 1890–1899.

Wawrzyn, Lienhardt: Walter Benjamins Kunsttheorie, Darmstadt/Neuwied, 1973.

Wehler, Hans-Ulrich: Das deutsche Kaiserreich, 1871 bis 1918, Göttingen, 1973.

Westheim, Paul: Zille–Grosz: Der Berliner Humor, in: P.W. – Helden und Abenteurer, Welt und Leben der Künstler, Berlin 1931, pp. 160–166.

Wirth, Irmgard: Die Bau- und Kunstdenkmäler von Berlin: Stadt und Bezirk Charlottenburg, 2 Bde., Berlin, 1961.

Yoxall Jones, Edgar: Father of Art Photograpy, O.G. Rejlander (1813–1875), Newton Abbot, 1973.

Zille-Literatur

Behne, Adolf: Heinrich Zille: Studien, Berlin, 1949.

Flügge, Gerhard: Mein Vater Heinrich Zille. Nach Erinnerungen von Margarete Köhler-Zille für die jungen und alten Freunde des Meisters erzählt von G. F., Berlin, 1955.

– Heinrich Zille, Leipzig, 2. Aufl. 1974.

Heilborn, Adolf: Heinrich Zille (Die Zeichner des Volkes II), Berlin, o. J.

Jannasch, Adolf: Heinrich heeßt er! Unveröffentlichtes von H. Zille, Hannover, 1960.

Luft, Friedrich: Mein Photo Milljöh, Hannover, 1967.

Nagel, Otto: H. Zille, Berlin, 1973.

Ostwald, Hans: Das Zillebuch (unter Mitarbeit von Heinrich Zille), Berlin, 1929.

Ostwald, Hans/Zille, Hans: Zille's Vermächtnis, Berlin, 1930.

Ostwald, Hans/Zille, Hans: Zille's Hausschatz, Berlin, 1931.

Paust, Otto: Vater Zille, der Meister in seinem Milljöh, Berlin, 1941.

Schumann, Werner: Pinselheinrich, Hannover, 1953.

– Das große Zille-Album, Hannover, 10. Aufl. 1964.

– Zille und sein Berlin in Anekdoten und Bildern, Hannover, 1965.

Zille, Heinrich: Kinder der Strasse (1908), Nachdruck, Hannover, 1966.

– Mein Milljöh (1914), Nachdruck, Hannover, 1967.

– Rund ums Freibad (1926), Nachdruck, Hannover, 1968.

Zille, Walter: Heinrich Zille und sein Berlin. Persönliche Erinnerungen von W. Z., Berlin, 4. Aufl. 1952.

Katalog: ›Heinrich Zille – zu seinem hundertsten Geburtstag‹, Ausst. Dt. Akad. d. Künste, Berlin 1958.

– ›Heinrich Zille‹, Ausst. im Haus am Lützowplatz, Berlin, 1968.

– Slg. Axel Springer: ›Heinrich Zille‹, Ausst. Berlin Museum, Berlin, 1968.

– ›Heinrich Zille: Aquarelle, Zeichnungen, Druckgrafik‹, Ausst. Märkisches Museum, Berlin, 1969.

– ›Heinrich Zille – Aus der Zille Sammlung des Berlin-Museums‹, Bildheft von Irmgard Wirth, Berlin 1974.

Abbildungen

3

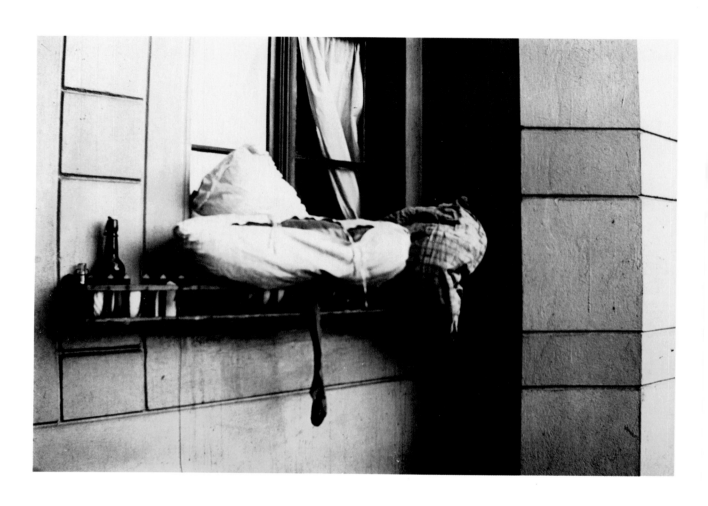

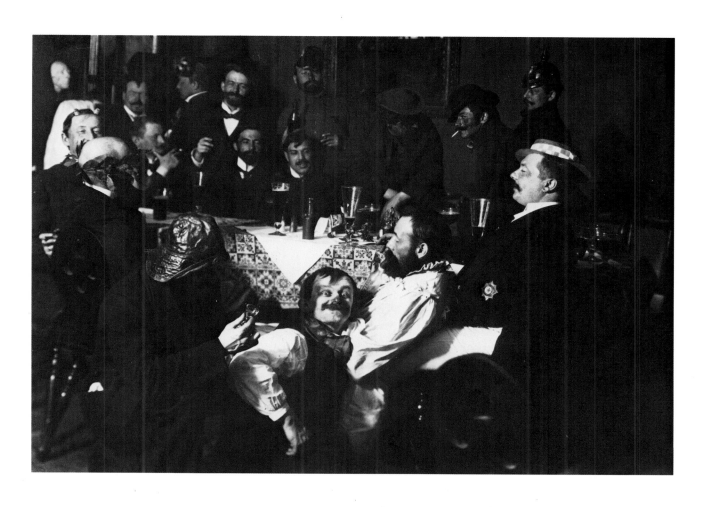

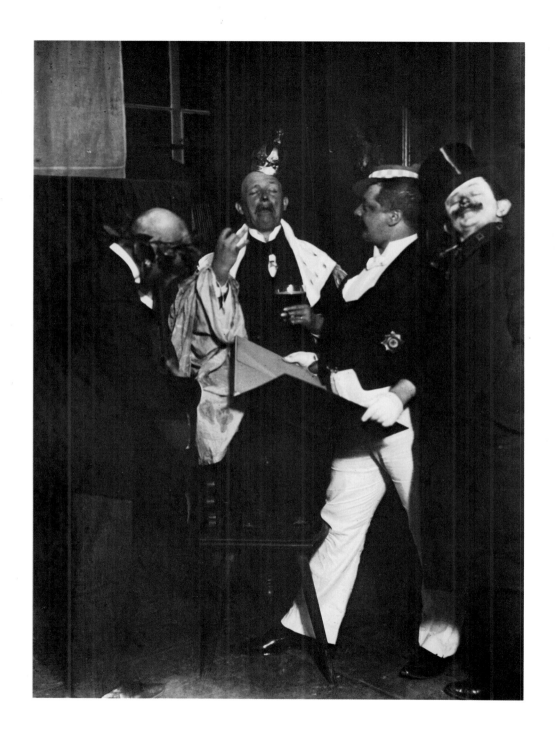

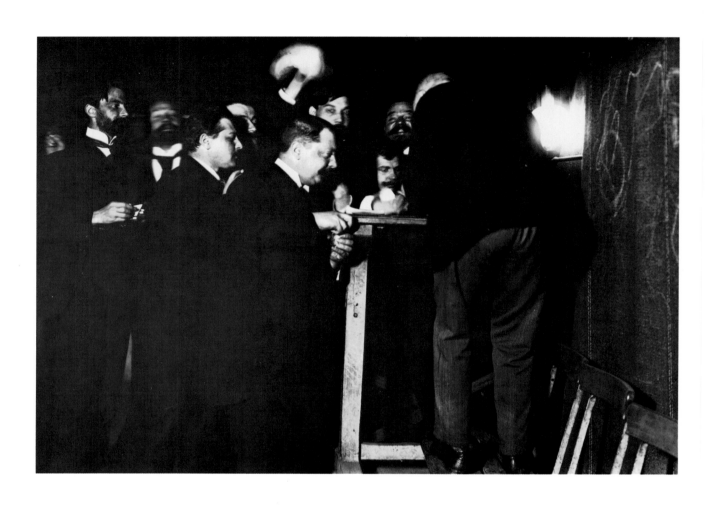

39

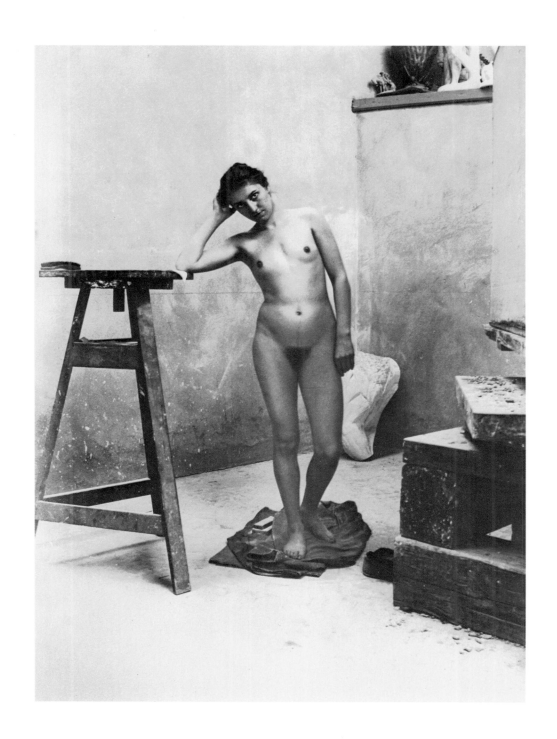

41

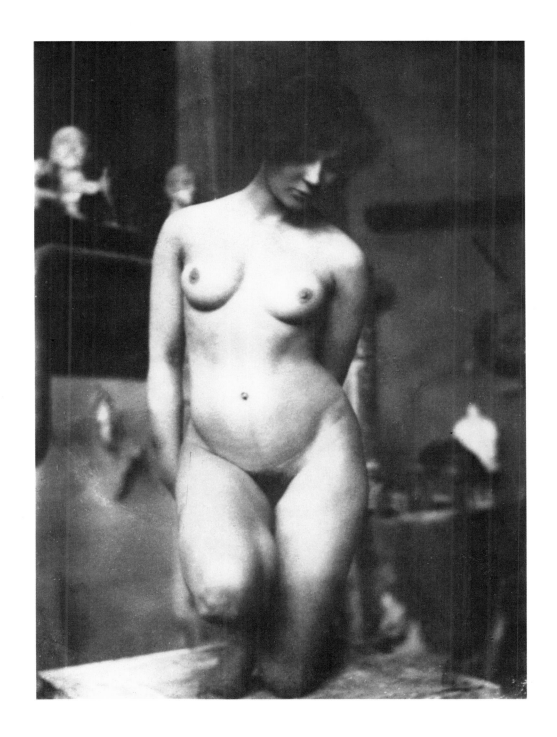

43

52

54

79

80

85

94

103

105

120

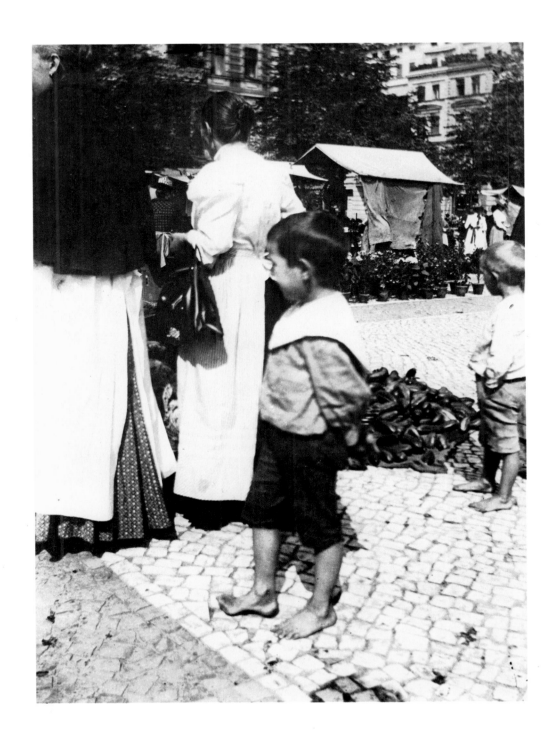

131

135

146

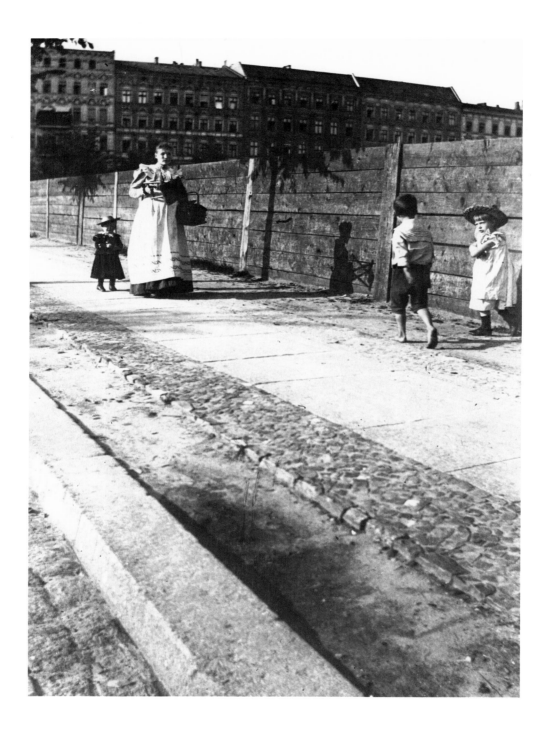

183

197